中華國學經典百部

精華本

尔雅

姜波 注

中国书店

图书在版编目（CIP）数据

尔雅 / 姜波注 . —北京：中国书店，2023.10
（中华国学经典百部：精华本）
ISBN 978-7-5149-2963-8

Ⅰ . ①尔… Ⅱ . ①姜… Ⅲ . ①《尔雅》 Ⅳ . ① H131.2

中国版本图书馆 CIP 数据核字（2022）第 075318 号

尔雅

姜波 注

责任编辑：赵文杰

出版发行：中国书店
地　　址：北京市西城区琉璃厂东街 115 号
邮　　编：100050
电　　话：（010）63171753（总编室）
　　　　　（010）63017857（发行部）
印　　刷：三河市嘉科万达彩色印刷有限公司
开　　本：787mm × 1092mm　1/32
版　　次：2023 年 10 月第 1 版第 1 次印刷
字　　数：157 千
印　　张：6（全 300）
书　　号：ISBN 978-7-5149-2963-8
定　　价：1490.00 元（全 50 册）

前言

作为辞书之祖，《尔雅》当之无愧，它收集了丰富的古代汉语词汇，汇总、解释了先秦古籍中的许多古词古义，是后世儒生读经、通经的重要工具书。它是我国第一部按照词义内容和事物含义分类编撰的词典，是中国古代典籍十三经的一种，因此也是中国传统文化的核心组成部分。

“尔”是“近”的意思，“雅”是“正”的意思，“尔雅”就是指接近、符合雅言，即在语音、词汇和语法等方面，解释古语词、方言词，使之合乎或接近规范，也就是指用当时通用的合乎规范的共同语来解释出现在典籍中的古语、口语、方言等的意义。

《尔雅》的成书时间并不确定，但一致认为，上限不会早于战国，下限不会晚于西汉初年。因为根据书中内容显示，有些词语是来自《楚辞》《列子》《庄子》《吕氏春秋》等书，而这些书都是战国时期的作品；而在汉文帝时已经设置“尔雅博士”，并出现了犍为文学的《尔雅注》，可见成书应该是在这之前。

《尔雅》最早著录于《汉书·艺文志》，全书10819字，分为2091个词目，所收词语4300多个，现存19篇，分别是《释诂》《释言》《释训》《释亲》《释宫》《释器》《释乐》《释天》《释地》《释丘》《释山》《释水》《释草》《释木》《释虫》《释鱼》《释鸟》《释兽》《释畜》。前三篇解释一般词语，类似后世的字典词典；后十六篇根据事物的类别解释其名称，类似今天的百科辞典，具体如下：

《释诂》主要解释古词语、方言词或别称、异名。

《释言》以一词解释一词，主要解释古语、方言俗语或别称、异名。

《释训》以双音词语为主，主要解释一些描摹事物情状的形容词、联绵词、叠音词。

《释亲》主要解释宗族、亲族、婚姻关系名词。

《释宫》主要解释古代房屋、宫室、亭台建筑及道路桥梁等名称。

《释器》主要解释生活器用、生产生活工具、服饰、兵器等事物名称。

《释乐》主要解释音乐韵调、乐器名称。

《释天》主要解释四时、祥、灾、月名、星座等十二类名称。

《释地》主要解释九州、八陵、五方、郊野等地理名称。

《释丘》主要解释大小高低丘陵等名称。

《释山》主要解释山川名称及形状。

《释水》主要解释泉水、河流、水中陆地等名称。

《释草》主要解释各种草本植物的名称。

《释木》主要解释木本植物的名称。

《释虫》主要解释各种昆虫的名称。

《释鱼》主要解释鱼鳖、贝类、龟等名称。

《释鸟》主要解释各类飞鸟的名称。

《释兽》主要解释鼠类等四类野兽的名称。

《释畜》主要解释马、牛、羊、犬、鸡等家畜的名称。

从汉唐到清代，为《尔雅》作注的人很多。现存的最早最完整的注本是晋代郭璞的《尔雅注》。郭璞花了十八年的时间来研究和注解《尔雅》，用当时通行的方言名称，解释了古老的动、植物名称，并为它注音、作图，使《尔雅》成为历代研究本草的重要参考书。唐朝以后《尔雅》被列入“经部”，成为儒家经典之一。

由于影响重大，后来出现了许多仿照《尔雅》写的著作，如《小尔雅》《广雅》《埤雅》《骈雅》《通雅》《别雅》等，被称为“群雅”，而研究雅书又成为一门学问，被称为“雅学”。

目录

释诂第一

1.1　初、哉①、首、基②、肇③、祖、元、胎、俶④、落⑤、权舆⑥，始也。

【注释】

①哉：通“才”，本义为草木生长的开始。②基：本义为筑墙的开始。③肇（zhào）：通“肁（zhào）”，本义为刚开门。④俶（chù）：本义为动作行为的开始。⑤落：木叶陨坠的开始。⑥权舆：通“蘿蕍（quán yú）”，本义为草木始生。

1.2　林①、烝②、天③、帝④、皇⑤、王、后⑥、辟⑦、公、侯，君⑧也。

【注释】

①林：群聚、众多。②烝：众多。③天：本义为人的头顶，指至高无上的君王。④帝：君主，皇帝。⑤皇：本义为大，引申为皇天，再引申为君主。⑥后：君主。⑦辟（bì）：本义为法律、法度，引申为君主。⑧君：兼有二义，一是君主，一是众多。

1.3　弘①、廓②、宏、溥③、介④、纯⑤、夏⑥、幠⑦、厖⑧、坟⑨、嘏⑩、丕、奕⑪、洪、诞⑫、戎、骏⑬、假⑭、京⑮、硕、濯⑯、訏⑰、宇⑱、穹⑲、壬⑳、路、淫㉑、甫、景、废㉒、壮、冢㉓、简㉔、箌㉕、昄㉖、晊㉗、将、业㉘、席，大也。

【注释】

①弘：广大。②廓：宽大，广阔。③溥（pǔ）：广大。④介：大。⑤纯：通“奄（chún）”，大。⑥夏：雄伟高大。⑦幠（hū）：大。⑧厖（máng）：本义为石大。⑨坟：大土堆。⑩嘏（gǔ）：大。⑪奕：雄伟，高大。⑫诞：言语夸大。⑬骏：高大的良马。⑭假：通“嘏”，大。⑮京：高丘。⑯濯：盛大。⑰訏（xū）：大。⑱宇：本义为屋檐，引申为天宇。⑲穹：高，空间大。⑳壬：怀孕腹大，引申有大的意思。㉑淫：久雨为淫。㉒废：通“奤”（fú），大，夸大。

㉓冢：本义为高大的坟墓。㉔简：本义为古代用于书写的狭长竹片，意即竹简。竹简疏节阔目，引申为大。㉕箌（dào）：本义为草大。㉖昄（bǎn）：大。㉗晊（zhì）："至"字之误。㉘业：本义为乐器架横木上的大版，如锯齿状，悬挂钟、鼓、磬等。

1.4　幠①、厖②，有也。

【注释】

①幠（hū）：覆盖。②厖（máng）：本义为大，引申为厚，拥有。

1.5　迄、臻、极、到、赴、来、吊①、艐②、格③、戾④、怀⑤、摧⑥、詹，至也。

【注释】

①吊（dì）：来到。②艐（jiè）：本义为船触沙搁浅。③格：前来，到来。④戾（lì）：到达。⑤怀：本义为怀念、思念，引申为归向。⑥摧：本义为推挤。

1.6　如①、适②、之、嫁、徂③、逝④，往也。

【注释】

①如：从随，随顺。②适：去、往。③徂：往、去。④逝：往、去。

1.7　赉①、贡、锡②、畀③、予、贶④，赐也。

【注释】

①赉（lài）：赏给，赐予。②锡：通"赐"，赐予。③畀（bì）：给予，赐予。④贶（kuàng）：赐给，赐予。

1.8　仪①、若②、祥③、淑④、鲜、省⑤、臧⑥、嘉、令、类⑦、綝⑧、彀⑨、攻⑩、穀⑪、介⑫、徽⑬，善也。

【注释】

①仪：本义为法度、准则。②若：顺从，和善。③祥：吉祥、幸福。④淑：本义为水清澈，引申为和善、美好。⑤省（xǐng）：察看，视察。⑥臧（zāng）：和善，好。⑦类：法式，法则。⑧綝（chēn）：良善。⑨彀（gòu）：张满弓弩，引申为善射。⑩攻：通"工"，善长。⑪穀：养育，又引申为善待。⑫介：通"价"，善良。⑬徽：本义为绳索，引申有止义，止有安善义，所以引申为美好。

1.9　舒①、业、顺②，叙③也。

【注释】

①舒：舒缓与次第义近。②顺：合乎情理，引申为顺序。③叙：次序，次第。

1.10 舒①、业②、顺、叙，绪③也。

【注释】

①舒：端续。②业：依次、秩序有开端，引申为开端、创始。③绪：本义为丝头，引申为头绪、开端。

1.11 怡、怿、悦、欣、衎①、喜、愉、豫②、恺③、康、妉④、般⑤，乐也。

【注释】

①衎（kàn）：和乐，愉快。②豫：喜悦，欢快。③恺（kǎi）：安乐。④妉（dān）：快乐、愉悦，或通“湛”。⑤般（pán）：本义为旋转，引申为盘桓，再引申为快乐、游乐。

1.12 悦、怿、愉、释①、宾②、协③，服④也。

【注释】

①释（yì）：通“怿”，悦服。②宾：宾客。引申为归还、服从。③协：协合，和谐，引申为服从、归顺义。④服：悦服、服从。

1.13 遹①、遵②、率③、循、由、从，自④也。

【注释】

①遹（yù）：遵从，遵循。②遵：沿着，顺着。③率：沿着。④自：自从。

1.14 遹①、遵②、率③，循④也。

【注释】

①遹：遵从，遵循。②遵：由沿着、顺着引申为遵循、依从。③率：由沿着引申为遵循、顺服。④循：依循，遵从。

1.15 靖①、惟②、漠③、图、询、度、咨、诹④、究、如⑤、虑、谟、猷⑥、肇、基、访⑦，谋⑧也。

【注释】

①靖：本义为安定，引申为使安定，再引申为图谋。②惟：思考，谋划。③漠：通“谟”，谋划，谋虑。④诹（zōu）：咨询，商议。⑤如：通“茹”，猜度，估计。⑥猷（yóu）：魔化，计划。⑦访：本义为咨询，引申为谋议。⑧谋：谋虑，谋划。

1.16　典①、彝②、法、则、刑③、范④、矩⑤、庸⑥、恒、律⑦、戛⑧、职⑨、秩⑩，常也。

【注释】

①典：简册，引申为常道、准则。②彝：古代青铜祭器的统称，引申为常规。③刑：通"型"，铸造器物的模具，引申为典范。④范：模型，引申为典范、法则。⑤矩：画直角或方形用的曲尺。⑥庸：经常，平常。⑦律：用来校正乐音标准的管状仪器，用管的长短确定音阶高低，引申为规律、规则。⑧戛（jiá）：常礼，常法。⑨职：正常。⑩秩：次序，引申为常规。

1.17　柯①、宪②、刑、范、辟③、律、矩、则，法也。

【注释】

①柯：斧柄，引申有法则义。②宪：法令。③辟（pì）：法度，刑法。

1.18　辜①、辟、戾②，辠③也。

【注释】

①辜：罪过。②戾：本义为弯曲，引申为罪恶。③辠（zuì）：同"罪"，罪过。

1.19　黄发①、齯②齿、鲐背③、耇④、老，寿也。

【注释】

①黄发：老年人头发发白而转黄，是高寿的征象。②齯（ní）齿：也作"兒齿"，老人齿落后复生的细齿，表示高寿之人。③鲐（tái）背：老人背上生斑如鲐鱼之纹，是高寿征象。④耇（gǒu）：老人面部的寿斑。

1.20　允①、孚②、亶③、展、谌④、诚、亮⑤、询⑥，信也。

【注释】

①允：信实，诚信。②孚：信用，诚信。③亶（dǎn）：本义为粮仓谷物多，引申为实在、诚实、诚信。④谌（chén）：本义为相信。⑤亮：通"谅"，诚信，忠诚。⑥询：确实。

1.21　展、谌、允、慎①、亶，诚也。

【注释】

①慎：确实。

1.22　谑①、浪②、笑、敖③，戏谑也。

【注释】

①谑：开玩笑，嘲弄。②浪：放荡，放纵。③敖：戏谑，调笑。

1.23 粤[①]、于[②]、爰[③]，曰[④]也。

【注释】

①粤（yuè）：句首、句中助词，无实义。②于：句首、句中助词，无实义。③爰（yuán）：句首、句中助词，无实义。④曰：句首、句中助词，无实义。

1.24 爰[①]、粤[②]，于[③]也。

【注释】

①爰：用为介词，起介引作用。②粤：用为介词，起介引作用。③于：句首、句中助词，无实义。

1.25 爰、粤、于、那[①]、都[②]、繇[③]，於[④]也。

【注释】

①那（nuó）：介词，对于。②都（dū）：介词，在。③繇：通"由"。④於：介词，与"于"相近。

1.26 敆[①]、郃[②]、盍[③]、翕[④]、仇[⑤]、偶、妃[⑥]、匹、会，合也。

【注释】

①敆（hé）：会合。②郃（xiá）：对合。③盍：聚合。④翕：收敛、闭合。⑤仇（qiú）：配偶。⑥妃：配偶。

1.27 仇、雠[①]、敌[②]、妃、知[③]、仪[④]，匹也。

【注释】

①雠（chóu）：对答，引申为相匹敌。②敌：本义为仇敌，引申为相当、匹敌。③知：本义为知道，引申为相知，再引申为匹配。④仪：本义为法度，引申为有风度，再引申为匹配。

1.28 妃[①]、合[②]、会，对[③]也。

【注释】

①妃：配偶。②合：汇合、聚合。③对：本义为应答，引申为相当、相配。

1.29 妃，媲[①]也。

【注释】

①媲（pì）：匹配，配偶。

1.30 绍[1]、胤[2]、嗣、续、纂[3]、緌[4]、绩[5]、武[6]、系[7]，继也。

【注释】

①绍：继承，接续。②胤（yìn）：本义为子孙相承，引申为继承、延续。③纂（zuǎn）：继承。④緌（ruí）：古代帽带结子的下垂部分，引申为继续。⑤绩：本义为把麻搓捻成线，引申为承继。⑥武：足迹。⑦系：本义为拴结、捆绑，引申为联接。

1.31 忥[1]、谥[2]、溢[3]、蛰[4]、慎、貉[5]、谧、顗[6]、頠[7]、密[8]、宁，静也。

【注释】

①忥（xì）：休息。②谥（shì）：假借为"谧"。③溢：通"恤"。清静。④蛰：动物冬眠，潜伏起来不食不动。⑤貉（mò）：通"貊"。清静，安静。⑥顗（yǐ）：恭谨，庄重。⑦頠（wěi）：本义为头俯仰自如，引申为安静、安详。⑧密：本义为形状象堂屋的山，引申为幽深、隐密，再引申为静默。

1.32 陨、磒[1]、湮[2]、下、降、坠、摽[3]、蘦[4]，落也。

【注释】

①磒：同"陨"。坠落。②湮（yān）：沉没，淹没。③摽（biào）：落下。④蘦（líng）：通"零"。凋落，凋零。

1.33 命、令、禧[1]、畛[2]、祈、请、谒、讯、诰[3]，告也。

【注释】

①禧（xǐ）：礼告。②畛（zhěn）：祝告，致意。③诰（gào）：告诉。

1.34 永[1]、悠[2]、迥[3]、违[4]、遐、逷[5]、阔[6]，远也。

【注释】

①永：水流长，引申为久远。②悠：本义为忧思，引申为遥远、长久。③迥：遥远，僻远。④违：离开，离别，引申为遥远、远离。⑤逷（tì）：同"逖"，遥远。⑥阔：远、疏远。

1.35 永[1]、悠[2]、迥[3]、远，遐[4]也。

【注释】

①永：久远，永久。②悠：遥远，长久。③迥：遥远，僻远。④遐：辽远，久远。

1.36 亏、坏、圮①、垝②，毁也。

【注释】

①圮（pǐ）：毁坏，坍塌。②垝（guǐ）：毁坏。

1.37 矢①、雉②、引、延、顺、荐③、刘④、绎、尸⑤、旅，陈也。

【注释】

①矢：陈述，陈列。②雉（zhì）：本义为野鸡，后有陈列义。③荐：陈说，陈设。④刘：本义为斧钺一类兵器，后有陈述、铺陈的意思。⑤尸：本义为古代祭祀时代表死者受祭的活人，引申为陈列。

1.38 尸①、职②，主③也。

【注释】

①尸：本义为古代祭祀时代表死者受祭的活人，引申为神主，再引申为主持、执掌。②职：本义为识记，引申为主宰。③主：本义为灯芯，借用为君主，引申为主持、掌管。

1.39 尸①，寀②也。

【注释】

①尸：古义为祭祀时代表死者受祭的活人，引申为神主。②寀（cǎi）：官职、官位。

1.40 寀①、寮②，官也。

【注释】

①寀（cǎi）：同"采"。古代卿大夫受封的土地。②寮（liáo）：同"僚"。官吏。

1.41 绩①、绪②、采③、业、服④、宜⑤、贯⑥、公⑦，事也。

【注释】

①绩：功业，成绩。②绪：本义为丝头，引申为开头、开端，再引申为前人遗留的事业。③采：本义为摘取，引申为事业。④服：从事。⑤宜：事宜，事宜的事。⑥贯：本义为串钱的绳索，引申为事例。⑦公：公事。

1.42 永、羕①、引、延、融②、骏③，长也。

【注释】

①羕（yàng）：水流悠长。②融：本义为炊气上升，引申为昌盛，再引申为

长久。③骏：本义为良马，引申为高大，再引申为长久。

1.43　乔①、嵩②、崇③，高也。

【注释】

①乔：高而上曲。②嵩：山高而大。③崇：山高而大。

1.44　崇①，充也。

【注释】

①崇：本义为山高而大，引申为充满的意思。

1.45　犯①、奢②、果③、毅④、剋⑤、捷、功、肩⑥、戡⑦，胜也。

【注释】

①犯：侵犯，进犯，引申为制服。②奢：本义为奢侈，引申为胜过、过分。③果：本义为果实，引申为结果，再引申为果敢、有决断。④毅：果决，刚毅。⑤剋：战胜。⑥肩：肩负，胜任。⑦戡（kān）：胜任。

1.46　胜、肩、戡、刘①、杀②，克③也。

【注释】

①刘：本义为斧钺一类的兵器，引申为诛杀、战胜等。②杀：杀戮，战胜。③克：胜任，战胜。

1.47　刘、狝①、斩、刺，杀也。

【注释】

①狝（xiǎn）：本义为古代君主秋季打猎，引申为杀戮。

1.48　亹亹①，蠠②没、孟③、敦、勖④、钊⑤、茂⑥、劭、勔⑦，勉也。

【注释】

①亹（wěi）亹：勤勉不倦的样子。②蠠（mǐn）没：勉力，努力。③孟：通"黾"。勉力，努力。④勖（xù）：勉励。⑤钊：本义为磨削，引申为劝勉。⑥茂：通"懋"，劝勉。⑦勔（miǎn）：劝勉，勉励。

1.49　骛①、务②、昏③、暋，强也。

【注释】

①骛：本义为乱驰，引申为疾行，再引申为强求、力求。②务：专力从事。③昏：通"暋"，勉力。

尔雅

1.50　卬①、吾、台②、予、朕、身、甫、余、言，我也。

【注释】

①卬（áng）：我。②台（yí）：我。

1.51　朕、余、躬①，身也。

【注释】

①躬：本义为身体，引申为自身。

1.52　台、朕、赉①、畀②、卜③、阳④，予也。

【注释】

①赉（lài）：赐予。②畀（bì）：给予。③卜：赐予。④阳：我。

1.53　肃①、延②、诱③、荐、饫④、晋、寅⑤、荩⑥，进也。

【注释】

①肃：本义为恭敬，引申为恭敬地引导。②延：本义为长行，引申为延长，再引申为引进、接待。③诱：引导。④饫（tán）：本义为进食，引申为增进。⑤寅：前进。⑥荩（jìn）：通“进”。进用。

1.54　羞①、饯②、迪③、烝④，进也。

【注释】

①羞：进献。②饯：用酒食送行。③迪：本义为道理，引申为前进、引进。④烝：古代指冬祭，引申为进献。

1.55　诏①、亮②、左③、右④、相⑤，导⑥也。

【注释】

①诏：本义为告诉，引申为教导。②亮：辅佐，辅导。③左：本义为左手，引申为辅佐、帮助。后作“佐”。④右：本义为右手，引申为帮助。后作“佑”。⑤相（xiàng）：本义为省视，引申为辅助。⑥导：本义为引导，引申为教导、启发。

1.56　诏、相、导、左、右、助，勴①也。

【注释】

①勴（lǜ）：赞助。

1.57　亮、介①、尚②，右也。

【注释】

①介：本义为边界，引申为介绍，再引申为辅助。②尚：本义为增加，引申为佐助。

1.58 左、右，亮[1]也。

【注释】

①亮：辅佐，辅导。

1.59 缉熙[1]、烈、显[2]、昭[3]、晧[4]、颎[5]，光也。

【注释】

①缉熙：光明。②显：本义为头明饰，引申为光明、明显。③昭：明亮。④晧：同“皓”。⑤颎（jiǒng）：同“炯”，明亮。

1.60 劼[1]、巩、坚、笃[2]、掔[3]、虔[4]、胶，固也。

【注释】

①劼（jié）：稳固。②笃：本义为马行迟顿，引申为坚实、牢固。③掔（qiān）：使牢固。④虔：本义为虎行貌，引申为牢固。

1.61 畴[1]、孰，谁也。

【注释】

①畴：谁。

1.62 暀暀[1]、皇皇[2]、藐藐[3]、穆穆[4]、休[5]、嘉、珍、祎[6]、懿、铄[7]，美也。

【注释】

①暀暀（wàng）：明亮美盛的样子。②皇皇：美盛的样子。③藐藐：美盛的样子。④穆穆：端庄和美的样子。⑤休：美好。⑥祎（yī）：美好。⑦铄：眼睛美好的样子。

1.63 谐、辑[1]、协，和也。

【注释】

①辑：车舆，引申为和谐。

1.64 关关[1]、噰噰[2]，音声和也。

【注释】

①关关：鸟和鸣声。②噰噰：鸟声和鸣。

1.65 勰①、燮②，和也。

【注释】

①勰：同“协”，和谐，协调。②燮：协和，和谐。

1.66 从①、申②、神③、加、弼④、崇，重也。

【注释】

①从：本义为跟从，引申为多、重叠。②申：本义为电，引申为舒展，再引申为重复、一再。③神：本义天神，引申为尊重、珍贵。④弼：本义为辅佐，引申为重复。

1.67 𣪊①、悉、卒、泯②、忽③、灭、罄④、空、毕、罊⑤、歼、拔⑥、殄⑦，尽也。

【注释】

①𣪊（què）：尽。②泯（mǐn）：消失、消灭。③忽：本义为忽略，引申为绝尽。④罄（qìng）：用尽，完结。⑤罊（qì）：本义为器中空，引申为空、尽。⑥拔：本义为抽拔，引申为尽。⑦殄（tiǎn）：绝尽，灭绝。

1.68 苞①、芜②、茂，丰也。

【注释】

①苞：本义为席草，引申为茂密、丛生。②芜：田地荒芜，野草丛生。

1.69 揫①、敛、屈②、收、戢③、蒐④、裒⑤、鸠⑥、搂⑦，聚也。

【注释】

①揫（jiū）：收敛，聚集。②屈：本义为弯曲、缠绕，引申为集中、聚集。③戢（jí）：本义为收藏兵器，引申为收敛。④蒐（sōu）：本义为茜草，引申为阅兵、春猎，再引申为聚集。⑤裒（póu）：聚集。⑥鸠：本义为鸟名，引申为聚集。⑦搂：牵合，曳聚。

1.70 肃①、齐②、遄③、速、亟④、屡⑤、数⑥、迅，疾也。

【注释】

①肃：本义为恭敬，引申为严峻、峻急。②齐：本义为禾麦吐穗上平，引申为整齐，再引申为敏捷。③遄（chuán）：急速。④亟（jí）：疾速、赶快。⑤屡：急速。⑥数（shuò）：疾速。

1.71 寁①、骏②、肃、亟、遄，速也。

【注释】

①寁（zǎn）：迅速、快捷。②骏：本义为良马，引申为迅速。

1.72 壑①、阬阬②、滕③、徵④、隍⑤、漮⑥，虚也。

【注释】

①壑（hè）：山谷、沟坑。②阬（kēng）阬：其一为衍文，山谷、土坑。③滕：水向上腾涌。④徵：同“澂”，澄清。⑤隍（huáng）：无水的护城河。⑥漮（kāng）：水中心有空处。

1.73 黎①、庶②、烝③、多、丑④、师⑤、旅⑥，众也。

【注释】

①黎：本义为民众、黎民，引申为众多。②庶：众多。③烝（zhēng）：众多。④丑：本义为可恶，引申为类别、种类。⑤师：古代军队编制的一级，以二千五百人为师，引申为民众、徒众。⑥旅：古代军队编制的一级，以五百人为旅，引申为众多。

1.74 洋①、观②、裒③、众、那④，多也。

【注释】

①洋：本义为水名，引申为盛大。②观：本义为观看、细看，引申为多。③裒（póu）：本义为聚集，引申为众多。④那（nuó）：多。

1.75 流①、差②、柬③，择也。

【注释】

①流：本义为水行移动，引申为河川水流。②差（chāi）：选择。③柬：选择、挑选，后作“拣”。

1.76 战①、慄②、震③、惊④、戁⑤、竦⑥、恐⑦、慴⑧，惧也。

【注释】

①战：通“颤”，发抖、恐惧。②慄：害怕得发抖。③震：剧烈震动。④惊：震惊、惊骇。⑤戁（nǎn）：本义为肃敬，引申为恐惧。⑥竦：通“悚”，惊恐。⑦恐：害怕。⑧慴（shè）：恐惧。

1.77 痡①、瘏②、虺③颓、玄黄④、劬劳⑤、咎⑥、顇⑦、瘽⑧、瘉⑨、鳏⑩、戮⑪、癙⑫、癵⑬、痩⑭、痒⑮、疷⑯、疵⑰、闵⑱、逐⑲、疚[20]、痗[21]、瘥[22]、痱[23]、擅[24]、瘵[25]、瘼[26]、痧[27]，病也。

【注释】

①痡（pū）：疲倦、劳累。②瘏（tú）：积劳成疾。③虺（huī）颓：因劳累生病的样子。④玄黄：生病的样子。⑤劬（qú）劳：劳累、劳苦。⑥咎（jiù）：凶、灾祸。⑦顇（cuì）：本义为憔悴、瘦弱，引申为生病。⑧瘽（qín）：因劳成疾。⑨瘉（yù）：病、灾难。⑩鳏（guān）：疾病、痛苦。⑪戮：本义为杀戮，引申为羞辱。⑫癙（shǔ）：忧郁成疾。⑬癵（luán）：肌体消瘦，积忧成病。⑭痙（lǐ）：忧病。⑮痒：忧思成疾。⑯疷（qí）：病不止。⑰疵（cī）：小毛病。⑱闵：本义为吊唁，引申为有病、病危。⑲逐：疾病。⑳疚：久病、病患。㉑痗（mèi）：忧病。㉒瘥（cuó）：疫病、小病。㉓痱（féi）：中风病。㉔擅（dǎn）：因劳致疾。㉕瘵（zhài）：病。㉖瘼（mò）：疾苦、病痛。㉗痧（jì）：生病、病。

1.78　恙[1]、写[2]、悝[3]、盱[4]、繇[5]、惨[6]、恤[7]、罹[8]，忧也。

【注释】

①恙：忧虑。②写：通“鼠（癙）”，忧郁成疾。③悝（kuī）：本义为嘲谑，引申为忧伤。④盱（xū）：忧愁。⑤繇（yáo）：同“摇”，忧惧。⑥惨：本义为狠毒，引申为忧愁、凄惨。⑦恤：忧虑、忧患。⑧罹（lí）：忧患、忧惧。

1.79　伦[1]、勚[2]、邛[3]、敕[4]、勤[5]、愉[6]、庸[7]、瘅[8]，劳也。

【注释】

①伦：劳苦。②勚（yì）：辛劳。③邛（qióng）：辛劳。④敕（chì）：本义为栽插，引申为劳苦。⑤勤：做事尽心尽力。⑥愉：劳困成疾。⑦庸：本义为用，引申为功劳、功勋。⑧瘅（dǎn）：因劳成疾。

1.80　劳、来[1]、强[2]、事[3]、谓[4]、翦[5]、篲[6]，勤也。

【注释】

①来（lài）：勤勉。②强（qiǎng）：勉力、勤勉。③事：本义为官职，引申为治理、任职。④谓：本义为评论，引申为劝勉、使令。⑤翦（jiǎn）：本义为羽毛初生如剪过一样整齐，引申为修剪，再引申为勤劳。⑥篲（huì）：本义为扫帚，引申为扫、拂。

1.81　悠[1]、伤[2]、忧，思也。

【注释】

①悠：忧思。②伤：本义为创伤，引申为忧思、悲伤。

1.82　怀、惟①、虑②、愿③、念、惄④，思也。

【注释】

①惟：思考、思念。②虑：本义为计划、谋划，引申为思考。③愿：本义为愿望、心愿，引申为思念。④惄（nì）：忧思、忧伤。

1.83　禄①、祉②、履③、戬④、祓⑤、禧⑥、禠⑦、祜⑧，福也。

【注释】

①禄：福。②祉（zhǐ）：福。③履：福禄。④戬（jiǎn）：本义为剪灭，引申为幸福、吉祥。⑤祓（fú）：福。⑥禧：幸福、吉祥。⑦禠（sī）：福。⑧祜（hù）：厚福、大福。

1.84　禋①、祀、祠②、蒸③、尝④、禴⑤，祭也。

【注释】

①禋（yīn）：祭名。升烟祭天。②祠：祭名。春祭。③蒸：同"烝"，祭名。冬祭。④尝：本义为辨别滋味，引申为祭名，指秋祭。⑤禴（yuè）：祭名。夏祭。

1.85　俨①、恪②、祗③、翼④、諲⑤、恭、钦⑥、寅⑦、熯⑧，敬也。

【注释】

①俨（yǎn）：本义为昂头，引申为庄重、恭敬。②恪（kè）：恭敬。③祗（zhī）：恭敬。④翼：本义为翅膀，引申为奉戴，再引申为恭敬。⑤諲（yīn）：敬。⑥钦：本义为疲倦时打哈欠，引申为恭敬、肃敬。⑦寅（yín）：小心恭敬。⑧熯（rǎn）：恭敬。

1.86　朝、旦、夙①、晨、晙②，早也。

【注释】

①夙（sù）：早晨。②晙（jùn）：黎明、早。

1.87　颏①、竢②、替③、戾④、底⑤、止、徯⑥，待也。

【注释】

①颏（xū）：站着等待。②竢（sì）：等待。③替：本义为废弃，引申为停

止。④戾（lì）：本义为弯曲，引申为到达。⑤底（dǐ）：本义为质地细腻的磨刀石，引申为终止。⑥徯（xī）：等待。

1.88　噊[①]、几[②]、烖[③]、殆[④]，危也。

【注释】

①噊（yù）：诡诈。②几（jī）：比喻事物的迹象，引申为危机、危险。③烖（zāi）：同“灾”，灾祸。④殆：危亡、危险。

1.89　馈[①]，汽[②]也。

【注释】

①馈：近、接近。②汽（qì）：接近、差不多。

1.90　治[①]、肆[②]、古[③]，故也。

【注释】

①治：本义为治理，引申为作为、做事。②肆：本义为处死刑后陈尸示众，引申为奋力做事。③古：本义为原因、缘故，引申为事情。

1.91　肆[①]、故[②]，今[③]也。

【注释】

①肆：连词，所以。②故：连词，所以。③今：本义为现在，引申为所以。

1.92　惇[①]、亶[②]、祜[③]、笃、掔[④]、仍[⑤]、肶[⑥]、埤[⑦]、竺[⑧]、腹[⑨]，厚也。

【注释】

①惇（dūn）：敦厚、诚实。②亶（dǎn）：本义为仓廪谷物多，引申为忠厚、笃实。③祜（hù）：厚福、大福。④掔（qiān）：本义为固，引申为厚。⑤仍：本义为沿袭，引申为重复。⑥肶（pí）：本义为牛胃，引申为厚赐。⑦埤（pí）：增加、增厚。⑧竺（dǔ）：笃厚。⑨腹：坚厚。

1.93　载[①]、谟[②]、食[③]、诈[④]，伪也。

【注释】

①载（zài）：本义为乘坐，引申为施行、有为。②谟（mó）：本义为计谋，引申为谋划、谋略。③食：本义为饭食，引申为作为、有为，又引申为虚伪、作假。④诈：奸诈、虚假。

1.94　话[①]、猷[②]、载[③]、行[④]、讹[⑤]，言也。

【注释】

①话：说出来表达思想的语言。②猷（yóu）：本义为谋划，引申为言谈。③载：本义为乘坐，引申为记载。④行：本义为道路，引申为行事，再引申为言说。⑤讹：本义为错谬，引申为谣言。

1.95　遘①、逢②，遇也。

【注释】

①遘（gòu）：相遇、遭遇。②逢：相逢、遭遇。

1.96　遘、逢、遇，遻①也。

【注释】

①遻（wǔ）：遇到。

1.97　遘、逢、遇、遻，见①也。

【注释】

①见：见到。

1.98　显①、昭②、觐③、钊④、觌⑤，见也。

【注释】

①显：本义为头明饰，引申为显露，再引申为看见。②昭：本义为光明，引申为显现、显示。③觐（jìn）：本义为古代诸侯朝见天子，引申为会见。④钊：引见。⑤觌（dí）：相见、见。

1.99　监①、瞻②、临③、涖④、頫⑤、相⑥，视也。

【注释】

①监：古代用来照人的镜子，引申为照视。②瞻：瞻仰、敬视。③临：居上视下。④涖（lì）：临视。⑤頫（tiào）：远视，向远处看。⑥相（xiàng）：省视、察看。

1.100　鞠①、讻②、溢③，盈也。

【注释】

①鞠（jū）：古代一种革制的皮球，引申为盈多。②讻：衍文。③溢：水充满而流出。

1.101　孔①、魄②、哉③、延④、虚⑤、无⑥、之⑦、言⑧，间也。

【注释】

①孔：孔洞。②魄：通“薄”，助词，③哉：助词。④延：本义为长行，引

申为延及，在引申为隧道。⑤虚：本义为空无所有，引申为洞孔。⑥无：本义为没有，引申为间隙。⑦之：助词。⑧言：助词。

1.102　瘗①、幽②、隐③、匿④、蔽⑤、窜⑥，微也。

【注释】

①瘗（yì）：埋藏、埋。②幽：隐蔽、隐藏。③隐：不显露。④匿：隐藏。⑤蔽：遮挡、隐藏。⑥窜（cuàn）：本义为逃匿，引申为隐藏。

1.103　讫①、徽②、妥③、怀④、安⑤、按⑥、替⑦、戾⑧、底⑨、底⑩、尼⑪、定、曷⑫、遏⑬，止也。

【注释】

①讫：完毕、终止。②徽：本义为绳索，引申为束缚，再引申为静止。③妥：安坐。④怀：人心归止。⑤安：安定、稳定。⑥按：本义为用手向下压，引申为压抑、制止。⑦替：停止。⑧戾：本义为到达，引申为止息。⑨底：本义为底下，引申为停滞、止住。⑩厎（dǐ）：止，终止。⑪尼（nì）：停止、制止。⑫曷（è）：阻止。⑬遏（è）：阻止。

1.104　豫①、射②，厌③也。

【注释】

①豫：厌烦、餍足。②射（yì）：厌弃。③厌：本义为饱、满足，引申为厌倦、厌恶。

1.105　烈①、绩②，业也。

【注释】

①烈：本义为火势猛烈，引申为光明、辉煌。②绩：成果、功业。

1.106　绩、勋①，功也。

【注释】

①勋：功勋、功劳。

1.107　功、绩、质①、登②、平③、明④、考⑤、就，成也。

【注释】

①质：本义为典当财物，引申为验实，再引申为成就。②登：本义为登升，引申为实现、完成。③平：本义为宁静，引申为平定。④明：本义为光明，引申为成长、成就。⑤考：本义为老、高寿，引申为落成、成就。

1.108 梏①、梗②、较③、颋④、庭⑤、道⑥，直也。

【注释】

①梏（jué）：高大、正直。②梗：本义为草木的枝、茎或根，引申为正直、耿直。③较：本义为车厢两旁的横木，引申为直。④颋（tǐng）：头挺直的样子，引申为正直。⑤庭：挺直、正直。⑥道：本义为道路，引申为正直。

1.109 密①、康②，静也。

【注释】

①密：宁静、静默。②康：安乐、安宁。

1.110 豫①、宁②、绥③、康④、柔⑤，安也。

【注释】

①豫：安乐、安逸。②宁：平安、安静。③绥：安抚。④康：安乐、安宁。⑤柔：本义为木质柔和，引申为柔化，再引申为怀柔、安抚。

1.111 平①、均②、夷③、弟④，易也。

【注释】

①平：本义为宁静、安逸，引申为齐一、均等。②均：公平、均等。③夷：平坦。④弟（tì）：通“悌”，和易。

1.112 矢①，弛②也。

【注释】

①矢：通“施”，施行、散布。②弛：通“施”，施行、布陈。

1.113 弛①，易②也。

【注释】

①弛：本义为放松弓弦，引申为延展。②易：本义为交换，引申为改变、更改，再引申为蔓延、传布。

1.114 希①、寡②、鲜③，罕也。

【注释】

①希：罕见、少。②寡：少。③鲜：稀有、少。

1.115 鲜，寡①也。

【注释】

①寡：少。

1.116 酬①、酢②、侑③，报也。

【注释】

①酬：本义为劝酒、敬酒，引申为报答。②酢（zuò）：本义为客人以酒回敬主人，引申为报答。③侑（yòu）：本义为劝，引申酬谢、酬答。

1.117 毗刘①，暴乐②也。

【注释】

①毗（pí）刘：联绵词，树木枝叶枯落的样子。②暴乐：树木枝叶脱离稀疏的样子。

1.118 覭髳①，茀离②也。

【注释】

①覭（míng）髳（méng）：草木丛生的样子。②茀（fú）离：草木众多的样子。

1.119 蛊①、谄②、贰③，疑也。

【注释】

①蛊：古籍中指一种人工培育的毒虫，引申为蛊惑、诱惑。②谄（tāo）：可疑、疑惑。③贰：数词，引申为不专一，再引申为怀疑、不信任。

1.120 桢①、翰②、仪③，干也。

【注释】

①桢：筑墙时竖在两端的木柱。②翰：通"干（榦）"，骨干，栋梁。③仪（儀）：通"檥"。本义为立木以表物，引申为主干、骨干。

1.121 弼①、棐②、辅、比③，俌④也。

【注释】

①弼（bì）：辅助、辅正。②棐（fěi）：辅导、辅助。③比：本义为亲近，引申为辅助。④俌（fǔ）：辅助。

1.122 疆①、界②、边、卫③、圉④，垂⑤也。

【注释】

①疆：地域、边界。②界：边界、范围。③卫：本义为防卫，引申为边陲、边地。④圉（yǔ）：本义为牢狱，引申为边境。⑤垂：边疆、边地。

1.123 昌①、敌②、强③、应④、丁⑤，当也。

【注释】

①昌：正当、美善。②敌：本义为敌人，引申为对等、相当。③强：本义为硬弓，引申为强壮、强盛。④应：应当、承受。⑤丁：当，遭逢、遇到。

1.124 浡①、肩②、摇③、动④、蠢⑤、迪⑥、俶⑦、厉⑧，作也。

【注释】

①浡（bó）：兴起的样子。②肩：本义为肩膀，引申为担负。③摇：摆动。④动：发生、移动。⑤蠢：本义为虫动，引申为动。⑥迪（dí）：本义为道理，引申为引导、实践。⑦俶（chù）：本义为开始，引申为营作、动。⑧厉：振奋、振作。

1.125 兹、斯、咨①、呰②、已③，此也。

【注释】

①咨：通"兹"，此。②呰（jī）：此。③已：此。

1.126 嗟①、咨②，蹉③也。

【注释】

①嗟（jiē）：叹词，表示招呼、赞美、感慨、悲痛等语气。②咨：叹词，多表示赞美。③蹉（jiē）：叹词，多表示忧哀。

1.127 闲①、狎②、串③、贯④，习也。

【注释】

①闲：通"娴"，熟练、熟习。②狎（xiá）：本义为训犬，引申为熟习、习惯。③串（guàn）：习惯。④贯：熟习、熟练。

1.128 曩①、尘②、伫③、淹④、留⑤，久也。

【注释】

①曩（nǎng）：从前，过去。②尘：本义为尘土、灰尘，引申为长久。③伫（zhù）：久立。④淹：本义为淹没，引申为停留、滞留，再引申为时间久。⑤留：本义为停留、停止，引申为长久。

1.129 逮①、及、暨②，与也。

【注释】

①逮（dài）：与、相连及。②暨（jì）：及、和。

1.130 鹭①、假②、格③、陟④、跻⑤、登，陞也。

【注释】

①骘（zhì）：上升。②假：通“遐”，升去。③格：通“狢”。本义为前来、到来，引申为上升。④陟（zhì）：登升。⑤跻（jī）：登上、上升。

1.131　挥①、盝②、歇③、涸，竭也。

【注释】

①挥：本义为舞动、摇动，引申为抛洒、振去。②盝（lù）：渗漏、滤去水。③歇：本义为停止、休息，引申为竭尽、消失。

1.132　挋①、拭②、刷，清也。

【注释】

①挋（zhèn）：擦干。②拭：擦拭。

1.133　鸿①、昏②、於③、显④、间⑤，代⑥也。

【注释】

①鸿：往来之代。②昏：黄昏，白天与夜晚更替的时候。③於：虚词。④显：代。⑤间（jiàn）：本义为间隙，引申为更迭、交替。⑥代：代替、更迭。

1.134　馌①、饟②，馈③也。

【注释】

①馌（yè）：给耕作的人送吃的。②饟（xiǎng）：送食物给人。③馈：送食物给人。

1.135　迁①、运，徙也。

【注释】

①迁：移动。

1.136　秉①、拱②，执也。

【注释】

①秉：本义为禾束，引申为拿、执持。②拱：本义为拱手，引申为执持。

1.137　廞①、熙②，兴也。

【注释】

①廞（xīn）：本义为陈设，引申为兴、作。②熙：本义为晒干，引申为兴起、兴盛。

1.138　卫①、蹶②、假③，嘉也。

【注释】

①卫（yì）：通“祎”，美好。②蹶（jué）：嘉美。③假（xià）：嘉美。

1.139　废[①]、税[②]、赦[③]，舍也。

【注释】

①废：废弃。②税（tuō）：通“脱”，解下、脱下。③赦：舍弃、放置。

1.140　栖迟[①]、憩[②]、休[③]、苦[④]、㥟[⑤]、齂[⑥]、呬[⑦]，息也。

【注释】

①栖迟：本义为缓行、停留，引申为休息。②憩（qì）：休息。③休：栖息。④苦（gǔ）：止息。⑤㥟（kuì）：通“喟”，叹息。⑥齂（xiè）：本义为鼻息，引申为止息。⑦呬（xì）：喘息。

1.141　供[①]、峙[②]、共[③]，具[④]也。

【注释】

①供：供给。②峙（zhì）：储备。③共：供给。④具：供置、备办。

1.142　煤[①]、怜[②]、惠[③]，爱也。

【注释】

①煤（wǔ）：抚爱、怜爱。②怜：本义为哀怜，引申为怜爱。③惠：本义为仁爱，引申为宠爱。

1.143　娠[①]、蠢[②]、震[③]、戁[④]、妯[⑤]、骚[⑥]、感[⑦]、讹[⑧]、蹶[⑨]，动也。

【注释】

①娠（shēn）：怀孕身动。②蠢：本义为虫动，引申为动。③震：巨大震动。④戁（nǎn）：摇动、恐动。⑤妯：扰动、不平静。⑥骚：骚动、动乱。⑦感（hàn）：通“撼”，摇动。⑧讹（é）：活动。⑨蹶（guì）：扰动、移动。

1.144　覆[①]、察、副[②]，审[③]也。

【注释】

①覆：本义为翻转，引申为审察。②副（pì）：剖开、破开。③审：本义为祥知，引申为详究、细察。

1.145　契[①]、灭、殄[②]，绝也。

【注释】

①契：本义为占卜时用刀凿刻龟甲，引申为割断。②殄（tiǎn）：绝尽、灭绝。

1.146　郡①、臻②、仍③、迺④、侯⑤，乃⑥也。

【注释】

①郡：通“窘”，重复、频仍。②臻（zhēn）：本义为到达，引申为仍、重复。③仍：一再、频繁。④迺（nǎi）：你、你的。⑤侯：副词，于是、就。⑥乃：你、你的。

1.147　迪①、繇②、训③，道④也。

【注释】

①迪（dí）：道、道理。②繇（yóu）：通“猷”，道理、道术。③训：教导、教诲。④道：本义为道路，引申为事理、规律。

1.148　佥①、咸②、胥③，皆也。

【注释】

①佥（qiān）：皆、都。②咸：都。③胥（xū）：皆、都。

1.149　育①、孟②、耆③、艾④、正⑤、伯⑥，长也。

【注释】

①育：本义为生育，引申为成长。②孟：兄弟姐妹中排行最大的。③耆：六十岁的老人。④艾：本义为艾蒿，引申为五十岁的老人，泛指长者。⑤正：本义为正中，引申为官长、君长。⑥伯：统领一方的长官。

1.150　艾①，历也。

【注释】

①艾：本义为长者，引申为经历。

1.151　厤①、秭②、算③，数也。

【注释】

①厤（lì）：同“历（曆）”，历数。②秭（zǐ）：数目名，有不同的说法。③算：计算、数目。

1.152　历①，傅②也。

【注释】

①历：本义为经历，引申为靠近、迫近。②傅：本义为辅助，引申为靠近。

1.153　艾①、历②、覛③、胥④，相⑤也。

【注释】

①艾（yì）：辅助、辅佐。②历：本义为经历，引申为审视、察看。③觋（mì）：看、察视。④胥（xū）：相视、观察。⑤相（xiàng）：省视、察看。

1.154　乂[1]、乱[2]、靖[3]、神[4]、弗[5]、淈[6]，治也。

【注释】

①乂（yì）：本义为割草，引申为治理。②乱：治理。③靖：本义为安定，引申为使安定，再引申为治理。④神：本义为天神，引申为治理。⑤弗（fú）：通“茀”，除草。⑥淈（gǔ）：惩治。

1.155　颐[1]、艾[2]、育，养也。

【注释】

①颐（yí）：本义为下巴，引申为保养。②艾：本义为长者，引申为养育。

1.156　汱[1]、浑[2]、陨[3]，坠也。

【注释】

①汱（quǎn）：水落的样子。②浑（gǔn）：坠落。③陨（yǔn）：坠落。

1.157　际[1]、接[2]、翜[3]，捷也。

【注释】

①际：本义为两墙交接处，引申为交会、连接。②接：交接、连接。③翜（shà）：快速、飞得快。

1.158　毖[1]、神[2]、溢[3]，慎也。

【注释】

①毖（bì）：谨慎、戒慎。②神：通“慎”，谨慎。③溢：谨慎。

1.159　郁陶[1]、繇[2]，喜也。

【注释】

①郁陶：形容喜而未畅。②繇（yóu）：喜。

1.160　馘[1]、秭[2]，获也。

【注释】

①馘（guó）：古代战争中割取敌人左耳以计数献功，引申为俘获、获取。②秭（jì）：收割、收获。

1.161　阻[1]、艰[2]，难也。

【注释】

①阻：本义为险阻，引申为拦挡、阻碍。②艰：困难、艰难。

1.162 剡①、㓳②，利也。

【注释】

①剡（yǎn）：锐利。②㓳（lüè）：锋利。

1.163 允①、任②、壬③，佞④也。

【注释】

①允：本义为诚信，引申为谄媚。②任（rén）：奸佞。③壬（rén）：佞、奸佞。④佞：谄谀。

1.164 俾①、拼②、抨③，使也。

【注释】

①俾（bǐ）：使。②拼（pēng）：使。③抨（bēng）：使、令。

1.165 俾①、拼②、抨③、使④，从也。

【注释】

①俾：通"比"，从。②拼：通"比"，相从。③抨：随从。④使：由致使、命令，引申为听从、顺从。

1.166 儴①、仍②，因也。

【注释】

①儴（ráng）：因循、沿袭。②仍：依照、沿袭。

1.167 董①、督②，正也。

【注释】

①董：本义为督察，引申为守正。②督：本义为察视，引申为纠正。

1.168 享①，孝②也。

【注释】

①享：本义为献，引申为祭祀。②孝：祭祀。

1.169 珍①、享②，献也。

【注释】

①珍：献，特指献珍物。②享：献，特指献食物。

1.170 纵①、缩②，乱也。

【注释】

①纵：本义为松缓，引申为杂乱。②缩：不整齐而乱。

1.171 探①、篡②、俘③，取也。

【注释】

①探：取、摸取。②篡：劫夺。③俘：擒获。

1.172 徂①、在，存也。

【注释】

①徂（cú）：存在。

1.173 在①、存②、省③、士④，察也。

【注释】

①在：本义为存在，引申为观察。②存：本义为问候、省视，引申为观察、察看。③省（xǐng）：察看、察视。④士：本义指未婚男子，引申为法官。

1.174 烈①、枿②，余也。

【注释】

①烈：树木被砍伐后重生的新芽。②枿（niè）：树木被砍伐后留下的根株。

1.175 迓①，迎也。

【注释】

①迓（yà）：迎、迎接。

1.176 元①、良②，首也。

【注释】

①元：人头。②良：年长。

1.177 荐①、挚②，臻③也。

【注释】

①荐：通“洊”，屡次、接连。②挚：本义为握持，引申为到、至。③臻（zhēn）：到达。

1.178 赓①、扬②，续也。

【注释】

①赓（gēng）：连续、继续。②扬：本义为飞扬，引申为发扬、继承。

1.179　祔[1]、祪[2]，祖也。

【注释】

①祔（fù）：祭名，让新死者于祖庙与祖先一起祭祀，引申为新庙的祖先。②祪（guǐ）：已毁庙的远祖，引申为远祖。

1.180　即[1]，尼[2]也。

【注释】

①即：本义为就食，引申为接近、靠近。②尼：亲近、亲昵。

1.181　尼[1]，定也。

【注释】

①尼：安定、和平。

1.182　迩[1]、几[2]、昵[3]，近也。

【注释】

①迩（ěr）：接近、近。②几：将近、几乎。③昵（nì）：亲昵、亲近。

1.183　妥[1]、安，坐也。

【注释】

①妥：安坐。

1.184　貉[1]、缩，纶[2]也。

【注释】

①貉（mò）：用绳子捆束。②纶（lún）：本义为青丝绶带，引申为比丝粗的绳子。

1.185　貉[1]、嗼[2]、安，定也。

【注释】

①貉（mò）：亦作"貊"，清静、安静。②嗼（mò）：寂寞、安静。

1.186　伊[1]，维[2]也。

【注释】

①伊：句首或句中语气助词，起舒缓语气的作用。②维：句首或句中语气助词，无实义。

1.187　伊、维，侯[1]也。

【注释】

①侯：句首或句中语气助词，无实义。

1.188　时①、寔②，是也。

【注释】

①时：此、这。②寔（shí）：通“是”，此、这。

1.189　卒①、猷②、假③、辍④，已⑤也。

【注释】

①卒：终尽、完毕。②猷（yóu）：止、已。③假：通“格”，到、至。④辍（chuò）：本义为车队间断又连续起来，引申为停止。⑤已：停止。

1.190　求①、酋②、在③、卒④、就⑤，终也。

【注释】

①求：本义为皮衣，引申为寻求、获得，再引申为有终。②酋（qiú）：本义为久酿的酒，引申为完成。③在：本义为存在，引申为终结。④卒：完毕、终结。⑤就：本义为趋向，引申为完成、终尽。

1.191　崩①、薨②、无禄③、卒④、徂落⑤、殪⑥，死也。

【注释】

①崩：本义为山塌陷，引申为帝王、皇后之死。②薨（hōng）：死亡，周代称诸侯之死。③无禄：本义为不幸，引申为士之死。④卒：本义为终结，引申为大夫之死。⑤徂（cú）落：死亡。⑥殪（yì）：杀死、死亡。

释言第二

2.1　殷①、齐②，中也。

【注释】

①殷：本义为盛乐，引申为大，再引申为正中、当中。②齐：通“脐”，中央，当中。

2.2　斯①、谚②，离也。

【注释】

①斯：本义为分，引申为离开。②谚（chǐ）：脱离、离别。

2.3　谡①、兴②，起也。

【注释】

①谡（sù）：起立、起。②兴：起身、起来。

2.4 还[①]、复[②]，返也。

【注释】

①还：返回。②复：还、返回。

2.5 宣[①]、徇[②]，遍也。

【注释】

①宣：本义为古代帝王的大室，引申为广大，再引申为周遍、普遍。②徇（xùn）：周遍。

2.6 驲[①]、遽[②]，传[③]也。

【注释】

①驲（rì）：古代驿站专用车，后指驿马。②遽（jù）：传马、驿马。③传（zhuàn）：驿站、驿舍。

2.7 蒙[①]、荒[②]，奄[③]也。

【注释】

①蒙：本义为菟丝草，引申为遮蔽、覆盖。②荒：本义为田地荒芜，引申为掩、覆盖。③奄（yǎn）：覆盖、涵括。

2.8 告[①]、谒[②]，请也。

【注释】

①告：本义为上报，引申为请求、有求。②谒（yè）：本义为禀告、陈述，引申为请、请求。

2.9 肃[①]、噰[②]，声也。

【注释】

①肃：鸟扇动翅膀的声音。②噰（yōng）：鸟声和鸣。

2.10 格[①]、怀[②]，来也。

【注释】

①格：来、至。②怀：本义为怀念、思念，引申为有归向，再引申为招致、招来。

2.11 畛[①]、厎[②]，致也。

【注释】

①畛（zhěn）：本义为田间道路，引申为祝告、致意。②厎（dǐ）：本义为质地细腻的磨刀石，引申为终止、到。

2.12 恀①、怙②，恃也。

【注释】

①恀（shì）：凭借、依赖。②怙（hù）：依赖、仗恃。

2.13 律①、遹②，述③也。

【注释】

①律：古代用来校正乐音标准的管状仪器，引申为效法、遵从。②遹（yù）：遵循、绍述。③述：遵循。

2.14 俞①、盒②，然也。

【注释】

①俞：应允，叹词。②盒（dá）：同“答”，应答。

2.15 豫①、胪②，叙③也。

【注释】

①豫：次序。②胪（lú）：罗列、列举。③叙：本义为次序，引申为按照次序。

2.16 庶几①，尚②也。

【注释】

①庶几：希望、但愿。②尚：差不多。

2.17 观①、指②，示也。

【注释】

①观：本义为细看，引申为给人看。②指：本义为显现，引申为指示、指点。

2.18 若①、惠②，顺也。

【注释】

①若：顺、顺从。②惠：本义为仁爱，引申为柔顺、顺从。

2.19 敖①、幠②，傲也。

【注释】

①敖：傲慢、狂妄。②幠（hū）：本义为覆盖，引申为傲慢。

2.20 幼、鞠①，稚也。

【注释】

①鞠：幼小、幼稚。

2.21 逸①、諐②，过也。

【注释】

①逸：本义为奔逃，引申为超越。②諐（qiān）：本义为超过，引申为过失。

2.22 疑①、休②，戾③也。

【注释】

①疑（níng）：安定、止息。②休：本义为休息，引申为停止。③戾：安定、止息。

2.23 疾①、齐②，壮也。

【注释】

①疾：本义为禾麦吐穗，引申为整齐，再引申为急速。②齐：本义为休息，引申为停止。

2.24 悈①、褊②，急也。

【注释】

①悈（jiè）：本义为警戒、警惕，引申为褊急。②褊（biǎn）：本义为衣服狭小，引申为性情急躁。

2.25 贸①、贾②，市③也。

【注释】

①贸：交易、买卖。②贾（gǔ）：做买卖。③市：本义为集中交易的场所，引申为交易。

2.26 厞①、陋②，隐也。

【注释】

①厞（fèi）：隐蔽。②陋：本义为狭隘，引申为隐蔽。

2.27 遏①、遾②，逮也。

【注释】

①遏：相及，古代齐地方言。②遾（shì）：达到，古代燕地方言。

2.28 征①、迈②，行也。

【注释】

①征：远行、远去。②迈：出行、远行。

2.29　圮[①]、败[②]，覆也。

【注释】

①圮（pǐ）：毁坏、坍塌。②败：毁坏。

2.30　荐[①]，原[②]，再也。

【注释】

①荐：通“洊”，再、又。②原：本义为水源，引申为再、重。

2.31　怃[①]、敉[②]，抚也。

【注释】

①怃（wǔ）：爱抚。②敉（mǐ）：安抚。

2.32　臞[①]、脙[②]，瘠[③]也。

【注释】

①臞（qú）：消瘦。②脙（xiū）：瘦瘠。③瘠：瘦弱。

2.33　桄[①]、颎[②]，充也。

【注释】

①桄（guàng）：充盛。②颎（jiǒng）：充盛。

2.34　屡[①]、昵[②]，亟[③]也。

【注释】

①屡：多次、常常。②昵（nì）：亲近。③亟（qì）：屡次、一再。

2.35　靡[①]、罔[②]，无也。

【注释】

①靡（mǐ）：无、没有。②罔（wǎng）：没有，无。

2.36　爽[①]，差也。

【注释】

①爽：差错、违背。

2.37　爽[①]，忒[②]也。

【注释】

①爽：差错、违背。②忒：变更、变换。

2.38　佴[①]，贰也。

【注释】

①佴（èr）：相次。

2.39　剂①、翦②，齐也。

【注释】

①剂：剪齐、剪断。②翦（jiǎn）：本义为羽毛初生如剪过一样，引申为剪整齐。

2.40　馈①、馏②，稔③也。

【注释】

①馈（fēn）：同“馩”，蒸饭。②馏（liù）：把食物蒸熟或者把熟的食物蒸热。③稔（rěn）：通“饪”，蒸熟。

2.41　媵①、将②，送也。

【注释】

①媵（yìng）：陪送出嫁。②将（jiāng）：本义为扶持，引申为送行。

2.42　作①、造②，为也。

【注释】

①作：制作。②造：制作。

2.43　餥①、餱②，食也。

【注释】

①餥（fēi）：古代陈楚一代相见后请吃麦饭，引申为招待客人。②餱（hóu）：食粮、干粮。

2.44　鞫①、究②，穷也。

【注释】

①鞫（jū）：本义为穷究、审问，引申为穷尽。②究：穷尽、终极。

2.45　滷①、矜②、咸③，苦也。

【注释】

①滷（lǔ）：同“卤”，苦地，即盐碱地。②矜：穷困、苦。③咸：像盐那样的味道。

2.46　干①、流②，求也。

【注释】

①干（gān）：求取。②流：本义为水行移动，引申为河川水流。

2.47　流①，覃②也。

【注释】

①流：本义为水行移动，引申为传布、延展。②覃（tán）：本义为滋味深长，引申为蔓延、延及。

2.48 覃①，延也。

【注释】

①覃：蔓延。

2.49 佻①，偷②也。

【注释】

①佻（tiāo）：轻薄放纵、不庄重。②偷：轻薄、不庄重。

2.50 潜①，深也。

【注释】

①潜：本义为涉水，引申为深、深处。

2.51 潜①、深②，测也。

【注释】

①潜：本义为涉水，引申为测量、探测。②深：本义为水深，引申为测量。

2.52 谷①、鞠②，生也。

【注释】

①谷：本义为谷物，引申为赡养、养育。②鞠（jū）：生、养。

2.53 啜①，茹②也。

【注释】

①啜（chuò）：吃。②茹：本义为喂牛马，引申为吃、吞咽。

2.54 茹①、虞②，度也。

【注释】

①茹：猜度、估计。②虞：猜想、料想。

2.55 试①、式②，用也。

【注释】

①试：使用。②式：用。

2.56 诰①、誓②，谨也。

【注释】

①诰（gào）：本义为告诉，引申为警戒。②誓：本义为军中告诫，引申为

谨慎。

2.57 竞[1]、逐[2]，强也。

【注释】

①竞：本义为角逐、竞赛，引申为强盛、强劲。②逐：本义为追赶、追逐，引申为竞争、争先，再引申为强盛、繁盛。

2.58 御[1]、圉[2]，禁也。

【注释】

①御：本义为祭祀免灾，引申为防止、禁止。②圉（yǔ）：本义为牢狱，引申为禁止、抵御。

2.59 窒[1]、薶[2]，塞也。

【注释】

①窒（zhì）：堵塞、填塞。②薶（mái）：本义为埋葬，引申为填塞。

2.60 黼[1]、黻[2]，彰也。

【注释】

①黼（fǔ）：古代礼服上所绣的白与黑相间的斧形花纹。②黻（fú）：古代礼服上所绣的黑与青相间的“亞”形花纹。

2.61 膺[1]、身，亲也。

【注释】

①膺：本义为胸，引申为自己、躬亲。

2.62 恺悌[1]，发也。

【注释】

①恺（kǎi）悌（tì）：破晓出发。

2.63 髦士[1]，官也。

【注释】

①髦（máo）士：英俊之士。

2.64 畯[1]，农夫[2]也。

【注释】

①畯（jùn）：古代掌管农事的官。②农夫：古代田官名。

2.65 盖[1]、割，裂也。

【注释】

①盖（hài）：通“害”，伤害。

2.66 邕①、支②，载③也。

【注释】

①邕（yōng）：同“拥”，拥护。②支：“枝”古文，引申为支撑。③载：承载、承受。

2.67 诿①、诿②，累③也。

【注释】

①诿（zhuì）：嘱托。②诿（wěi）：烦劳、托付。③累：托付。

2.68 漠①、察②，清也。

【注释】

①漠：淡泊、清净。②察：本义为详审，引申为清楚、明晰。

2.69 庇①、庥②，荫③也。

【注释】

①庇（bì）：遮蔽。②庥（xiū）：树荫。③荫（yīn）：树荫。

2.70 谷①、履②，禄也。

【注释】

①谷：本义为谷物，引申为俸禄。②履（xǐ）：福禄。

2.71 履①，礼也。

【注释】

①履：本义为践踏，引申为实行、履行。

2.72 隐①，占②也。

【注释】

①隐：本义为隐蔽、隐藏，引申为审度。②占（zhān）：本义为占卜，引申为估计、揣度。

2.73 逆①，迎也。

【注释】

①逆：迎接。

2.74 憯①，曾②也。

【注释】

①憯（cǎn）：竟然。②曾（zēng）：乃、竟。

2.75　增[①]，益[②]也。

【注释】

①增：加多、加添。②益：本义为水漫出器具，引申为增加。

2.76　窭[①]，贫也。

【注释】

①窭（jù）：本义为无财备礼，引申为贫穷。

2.77　薆[①]，隐也。

【注释】

①薆（ài）：隐蔽。

2.78　僾[①]，唈[②]也。

【注释】

①僾（ài）：呼吸不畅。②唈（yì）：抑郁不舒畅。

2.79　基[①]，经[②]也。

【注释】

①基：本义为起始，引申为治理、管理。②经：本义为织物的纵线，引申为起始。

2.80　基[①]，设也。

【注释】

①设：本义为设置、安排，引申为谋划。

2.81　祺[①]，祥也。

【注释】

①祺：吉祥。

2.82　祺[①]，吉也。

【注释】

①祺：吉利。

2.83　兆[①]，域也。

【注释】

①兆（zhào）：通"垗（zhào）"，区域、界域。

2.84 肇①，敏也。

【注释】

①肇（zhào）：敏捷。

2.85 挟①，藏也。

【注释】

①挟（xié）：本义为夹持，引申为隐藏、怀藏。

2.86 浃①，彻②也。

【注释】

①浃（jiā）：本义为浸渍，引申为浸透、融合。②彻：本义为撤除，引申为贯通、渗透。

2.87 替①，废也。

【注释】

①替：废弃、废除。

2.88 替①，灭也。

【注释】

①替：本义为废除，引申为消亡、泯灭。

2.89 速①，徵②也。

【注释】

①速：本义为迅速，引申为召请。②徵：征召、征聘。

2.90 徵，召①也。

【注释】

①召：本义为召唤，引申为招致。

2.91 琛①，宝也。

【注释】

①琛（chēn）：珍宝。

2.92 探①，试也。

【注释】

①探：试探。

2.93 髦①，选②也。

【注释】

①髦（mào）：选拔为官的英俊之士。②选：被选拔出来的人才。

2.94 髦，俊[1]也。

【注释】

①俊：才俊之士。

2.95 俾[1]，职也。

【注释】

①俾（bǐ）：任使供职。

2.96 纰[1]，饰也。

【注释】

①纰（pí）：冠服等的缘饰。

2.97 淩[1]，慄也。

【注释】

①淩（líng）：战栗。

2.98 慄[1]，慼[2]也。

【注释】

①慄（lì）：本义为恐惧，引申为忧伤。②慼（qī）：忧伤。

2.99 蠲[1]，明也。

【注释】

①蠲（juān）：明示、显察。

2.100 茅[1]，明也。

【注释】

①茅：显明。

2.101 明，朗[1]也。

【注释】

①朗：明亮。

2.102 猷[1]，图也。

【注释】

①猷（yóu）：谋划、计划。

2.103 猷①，若也。

【注释】

①猷（yóu）：同“犹”，如、同。

2.104 偁①，举也。

【注释】

①偁（chēng）：同“称”，举起。

2.105 称①，好也。

【注释】

①称（chèn）：适宜、相当。

2.106 坎①、律②，铨③也。

【注释】

①坎：法象。②律：本义为用来校正乐音标准的管状仪器，引申为平衡、权衡。③铨（quán）：本义为秤，引申为衡量。

2.107 矢①，誓也。

【注释】

①矢：本义为箭矢，引申为发誓。

2.108 舫①，舟也。

【注释】

①舫（fǎng）：相并连的两只船。

2.109 泳①，游也。

【注释】

①泳：潜行于水中，指浮游。

2.110 迨①，及也。

【注释】

①迨：及、趁。

2.111 冥①，幼②也。

【注释】

①冥：幽暗。②幼（yào）：幽暗。

2.112 降①，下也。

【注释】

①降：从高处向下运行。

2.113 佣①，均也。

【注释】

①佣（chōng）：均等、公平。

2.114 强①，暴也。

【注释】

①强：强暴、强横。

2.115 窕①，肆②也。

【注释】

①窕（tiǎo）：轻佻放肆。②肆：放肆、放纵。

2.116 肆①，力也。

【注释】

①肆：极力、奋力。

2.117 俅①，戴也。

【注释】

①俅（qiú）：头戴。

2.118 瘗①，幽②也。

【注释】

①瘗（yì）：埋、埋葬。②幽：隐蔽、隐微。

2.119 氂①，罽②也。

【注释】

①氂（máo）：本义为牦牛，引申为牦牛毛。②罽（jì）：毛织物。

2.120 烘①，燎②也。

【注释】

①烘：燃烧。②燎：焚烧、烧，

2.121 煁①，烓②也。

【注释】

①煁（chén）：一种可移动的火炉。②烓（wēi）：一种可移动的火炉。

2.122 陪[①]，朝[②]也。

【注释】

①陪：本义为重叠的土堆，引申为朝拜。②朝：臣下朝见君上。

2.123 康[①]，苛也。

【注释】

①康：苛刻。

2.124 樊[①]，藩[②]也。

【注释】

①樊：同“藩”，篱笆。②藩：篱笆。

2.125 赋[①]，量也。

【注释】

①赋：称重。

2.126 粻[①]，粮也。

【注释】

①粻（zhāng）：粮食、米粮。

2.127 庶[①]，侈[②]也。

【注释】

①庶：众多。②侈：本义为自大，引申为多。

2.128 庶[①]，幸[②]也。

【注释】

①庶：欣幸、幸而。②幸：幸运。

2.129 筑[①]，拾也。

【注释】

①筑：拾掇、拾取。

2.130 奘[①]，驵[②]也。

【注释】

①奘（zàng）：强壮、健壮。②驵（zǎng）：本义指壮马，引申为粗大、强健。

2.131 集[①]，会也。

【注释】

①集：会集、会和。

2.132　舫①，泭②也。

【注释】

①舫：相并连起来的船只。②泭（fú）：竹筏、木筏。

2.133　洵①，均也。

【注释】

①洵：平均。

2.134　洵①，龛②也。

【注释】

①洵：通"恂"，胜任。②龛：通"堪"，胜任。

2.135　逮①，遝②也。

【注释】

①逮（dài）：与、相连。②遝（tà）：相及。

2.136　是①，则②也。

【注释】

①是：本义为直，引申为法则。②则：本义为划分等级，引申为准则、法则。

2.137　画①，形②也。

【注释】

①画：本义为划分界限，引申为绘画、作图。②形：描绘。

2.138　赈①，富也。

【注释】

①赈（zhèn）：富裕。

2.139　局①，分也。

【注释】

①局：本义为局促，引申为局部、部分。

2.140　憭①，怒也。

【注释】

①憭（qí）：愤怒。

2.141　偞①，声也。

【注释】

①偞（xiè）：象声词，形容声音小。

2.142　葵①，揆②也。

【注释】

①葵：通“揆”，测度、度量。②揆（kuí）：度量、揣度。

2.143　揆①，度也。

【注释】

①揆（kuí）：度量。

2.144　逮①，及也。

【注释】

①逮：到、及、及至。

2.145　惄①，饥也。

【注释】

①惄（nì）：忧思、忧伤。

2.146　眕①，重也。

【注释】

①眕（zhěn）：稳重、自重。

2.147　猎①，虐也。

【注释】

①猎：本义为打猎，引申为凌虐、残害。

2.148　土①，田也。

【注释】

①土：本义为土壤、泥土，引申为田地。

2.149　戍①，遏②也。

【注释】

①戍（shù）：守边、防守。②遏（è）：阻止、制止。

2.150　师①，人也。

【注释】

①师：古代军队编制的一级，两千五百人为一师，引申为民众、徒众。

2.151 硈[1]，巩也。

【注释】

①硈（qià）：坚固。

2.152 弃[1]，忘也。

【注释】

①弃：本义为抛弃，引申为忘记。

2.153 嚣[1]，闲也。

【注释】

①嚣（xiāo）：悠闲自得的样子。

2.154 谋[1]，心也。

【注释】

①谋：谋划、谋略。

2.155 献[1]，圣[2]也。

【注释】

①献：有德行才能的人。②圣：本义为无所不通，引申为德行高尚的人。

2.156 里[1]，邑[2]也。

【注释】

①里：人所居住的地方。②邑：本义指国，引申为人所聚居的地方。

2.157 襄[1]，除也。

【注释】

①襄：本义为一种翻开地面表层的耕种方法，引申为除去、扫除。

2.158 振[1]，古也。

【注释】

①振：自、从。

2.159 怼[1]，怨也。

【注释】

①怼（duì）：怨恨。

2.160 缡[1]，介也。

【注释】

①缡（lí）：用丝装饰鞋头。

2.161　号[①]，謼[②]也。

【注释】

①号（háo）：大声呼叫。②謼（hū）：大声喊叫。

2.162　凶[①]，咎[②]也。

【注释】

①凶：不吉利。②咎（jiù）：凶、灾祸。

2.163　苞[①]，稹[②]也。

【注释】

①苞：本义为席草，引申为丛生、茂密。②稹（zhěn）：草木丛生。

2.164　逜[①]，寤[②]也。

【注释】

①逜（wù）：抵触。②寤（wù）：倒着、逆。

2.165　颋[①]，题[②]也。

【注释】

①颋（dìng）：额。②题：额头。

2.166　猷[①]、肯[②]，可也。

【注释】

①猷（yóu）：同“犹”，可以。②肯：可以、愿意。

2.167　务[①]，侮也。

【注释】

①务（wǔ）：通“侮”，侮辱。

2.168　贻[①]，遗[②]也。

【注释】

①贻（yí）：赠送、给予。②遗（wèi）：给予、馈赠。

2.169　贸[①]，买也。

【注释】

①贸：交易、买卖，包括买和卖两个方面。

2.170　贿[①]，财也。

【注释】

①贿：财物。

2.171　甲[1]，狎也。

【注释】

①甲：通“狎”，亲昵。

2.172　菼[1]，骓[2]也。

【注释】

①菼（tǎn）：初生的荻。②骓：芦苇的幼芽。

2.173　菼，薍[1]也。

【注释】

①薍（wàn）：初生的荻。

2.174　粲[1]，餐也。

【注释】

①粲（cān）：饭食。

2.175　渝[1]，变也。

【注释】

①渝：改变、变更。

2.176　宜[1]，肴[2]也。

【注释】

①宜：菜肴。②肴：熟肉之类的荤菜。

2.177　夷[1]，悦也。

【注释】

①夷：喜悦。

2.178　颠[1]，顶也。

【注释】

①颠：头顶。

2.179　耋[1]，老也。

【注释】

①耋（dié）：老寿。

2.180　輶[1]，轻也。

【注释】

①輶（yóu）：本义为轻车，引申为轻。

2.181 俴①，浅也。

【注释】

①俴（jiàn）：浅、薄。

2.182 绹①，绞②也。

【注释】

①绹（táo）：绞索、绳索。②绞：拧成绳。

2.183 讹①，化也。

【注释】

①讹：通“吪”，感化。

2.184 跋①，躐②也。

【注释】

①跋：本义为扑倒，引申为踩、踏。②躐（liè）：践踏、踩。

2.185 疐①，跲②也。

【注释】

①疐（zhì）：牵绊、颠仆。②跲（jiá）：牵绊、绊倒。

2.186 烝①，尘②也。

【注释】

①烝：长久。②尘：本义为尘土，引申为长久。

2.187 戎①，相②也。

【注释】

①戎：相助。②相（xiàng）：本义为省视，引申为辅佐。

2.188 饫①，私也。

【注释】

①饫（yù）：古代君王燕饮同姓的私宴。

2.189 孺①，属②也。

【注释】

①孺：本义为孩童，引申为亲属、相亲。②属：本义为种类，引申为亲属。

2.190 幕①，暮②也。

【注释】

①幕：本义为遮在上面的帐幕，引申为帐幕、篷帐。②暮：通“幕”，帐幕。

2.191 煽[①]，炽[②]也。

【注释】

①煽：本义为火燃烧很旺，引申为气势炽盛。②炽：本义为火旺盛，引申为强盛。

2.192 炽，盛[①]也。

【注释】

①盛：旺盛、兴盛。

2.193 柢[①]，本[②]也。

【注释】

①柢（dǐ）：本义为树根，特指主根，引申为根基、基础。②本：草木的根。

2.194 窕[①]，闲也。

【注释】

①窕（tiǎo）：本义为间隙、不充满，引申为闲暇。

2.195 沦[①]，率[②]也。

【注释】

①沦：本义为水的小波纹，引申为相率。②率：相率。

2.196 罹[①]，毒[②]也。

【注释】

①罹（lí）：忧患、忧惧。②毒：患苦、担忧。

2.197 检[①]，同也。

【注释】

①检：本义为封书题签，引申为等同、齐比。

2.198 邮[①]，过也。

【注释】

①邮：通"尤"，过失、罪过。

2.199 逊[①]，遁[②]也。

【注释】

①逊：逃避、逃遁。②遁（dùn）：逃跑。

2.200 弊①，踣②也。

【注释】

①弊：扑倒、向前倒下。②踣（bó）：向前扑倒。

2.201 偾①，僵②也。

【注释】

①偾（fèn）：扑倒。②僵：倒下。

2.202 畛①，殄②也。

【注释】

①畛（zhěn）：殄绝。②殄（tiǎn）：灭绝、绝尽。

2.203 曷①，盍①也。

【注释】

①曷（hé）：何不。②盍（hé）：何不。

2.204 虹①，溃也。

【注释】

①虹（hòng）：通“讧（hòng）”，溃乱。

2.205 隌①，闇②也。

【注释】

①隌（àn）：阴暗。②闇（àn）：晦暗、不亮。

2.206 翻①，胶也。

【注释】

①翻（nì）：黏、粘连。

2.207 孔①，甚也。

【注释】

①孔：很、甚。

2.208 厥①，其也。

【注释】

①厥（jué）：其、他。

2.209 戛①，礼也。

【注释】

①戛（jiá）：本义为戟，引申为常礼、常法。

2.210 阇[1]，台也。

【注释】

①阇（dū）：城上之台。

2.211 囚[1]，拘也。

【注释】

①囚：幽禁、束缚。

2.212 攸[1]，所也。

【注释】

①攸：处所。

2.213 展[1]，适[2]也。

【注释】

①展：省视。②适：省视。

2.214 郁[1]，气也。

【注释】

①郁：本义为繁茂，引申为火气、热气。

2.215 宅[1]，居也。

【注释】

①宅：本义为住宅，引申为居住。

2.216 休[1]，庆也。

【注释】

①休：本义为休息，引申为喜庆。

2.217 祈[1]，叫也。

【注释】

①祈：本义为向神或天祈祷，引申为大声喊叫。

2.218 浚[1]、幽[2]，深也。

【注释】

①浚（jùn）：本义为疏通，引申为深。②幽：幽深。

2.219 哲[1]，智也。

【注释】

①哲：明智。

2.220　弄①，玩也。

【注释】

①弄：用手玩弄。

2.221　尹①，正也。

【注释】

①尹：本义为主管，引申为官长。

2.222　皇①、匡②，正也。

【注释】

①皇：通"匡"，匡正。②匡：纠正。

2.223　服①，整②也。

【注释】

①服：本义为从事，引申为治理。②整：本义为整齐，引申为整理、治理。

2.224　聘①，问也。

【注释】

①聘：访问、问候。

2.225　愧①，惭也。

【注释】

①惭：羞愧。

2.226　殛①，诛也。

【注释】

①殛（jí）：诛杀。

2.227　克①，能也。

【注释】

①克：能够、能。

2.228　翌①，明也。

【注释】

①翌（yù）：通"昱（yù）"，明日。

2.229　讻①，讼也。

【注释】

①讻（xiōng）：争讼。

2.230 晦①，冥②也。

【注释】

①晦：本义为农历每月最后一天，引申为昏暗。②冥：幽暗。

2.231 奔①，走也。

【注释】

①奔：快跑。

2.232 逡①，退也。

【注释】

①逡（qūn）：退让、避让。

2.233 疐①，仆也。

【注释】

①疐（zhì）：牵绊、颠仆。

2.234 亚①，次也。

【注释】

①亚：次一等、次于。

2.235 谂①，念也。

【注释】

①谂（shěn）：思念。

2.236 届①，极也。

【注释】

①届：极限、穷极。

2.237 弇①，同也。

【注释】

①弇（yǎn）：通“奄”，同。

2.238 弇①，盖也。

【注释】

①弇：遮盖、覆盖。

2.239 恫①，痛也。

【注释】

①恫（tōng）：哀痛、痛苦。

2.240　握①，具②也。

【注释】

①握：通“屋”，餐具。②具：食具。

2.241　振①，讯②也。

【注释】

①振：振作、奋起。②讯：通“迅”，振奋。

2.242　阋①，恨②也。

【注释】

①阋（xì）：争斗、争讼。②恨：争吵、争讼。

2.243　越①，扬也。

【注释】

①越：本义为度过、跨过，引申为激扬。

2.244　对①，遂②也。

【注释】

①对：达、至。②遂：通达、至。

2.245　燬①，火也。

【注释】

①燬（huǐ）：火。

2.246　懈①，怠也。

【注释】

①懈：松懈。

2.247　宣①，缓也。

【注释】

①宣：通“絙”，舒缓。

2.248　遇①，偶也。

【注释】

①遇：偶尔相遇。

2.249　曩①，曏②也。

【注释】

①曩（náng）：从前，过去。②曏（xiàng）：不久以前、以往。

2.250　偟①，暇也。

【注释】

①偟（huáng）：闲暇。

2.251　宵①，夜也。

【注释】

①宵：夜。

2.252　懊①，忨②也。

【注释】

①懊（yù）：贪爱。②忨（wán）：苟安、贪爱。

2.253　愒①，贪也。

【注释】

①愒（kài）：贪。

2.254　榰①，柱②也。

【注释】

①榰（zhī）：本义为柱脚，引申为支撑。②柱：本义为支撑房屋的柱子，引申为支撑。

2.255　裁①，节也。

【注释】

①裁：本义为裁剪，引申为节制、削减。

2.256　并①，併②也。

【注释】

①并（bìng）：并列。②併：并列、并行。

2.257　卒①，既②也。

【注释】

①卒：终尽、完毕。②既：本义为食尽，指日全食或月全食。

2.258　悰①，虑也。

【注释】

①悰（cóng）：谋略。

2.259　将①，资②也。

【注释】

①将：本义为扶助，引申为赠送。②资：送。

2.260　黹[①]，紩[②]也。

【注释】

①黹（zhǐ）：本义为用针线绣出花纹，引申为刺绣、缝纫。②紩（zhì）：缝。

2.261　递[①]，迭[②]也。

【注释】

①递：交替。②迭：更迭、交替。

2.262　矧[①]，况也。

【注释】

①矧（shěn）：况、况且。

2.263　廪[①]，廯[②]也。

【注释】

①廪（lǐn）：粮食。②廯（xiān）：仓廪。

2.264　逭[①]，逃也。

【注释】

①逭（huàn）：逃避。

2.265　讯[①]，言[②]也。

【注释】

①讯：询问。②言：本义为言语，引申为问。

2.266　间[①]，伣[②]也。

【注释】

①间：本义为空隙，引申为间离，再引申为间谍。②伣（xiàn）：间谍。

2.267　沄[①]，沆[②]也。

【注释】

①沄（yún）：水波回旋的样子。②沆（hàng）：描写水面宽阔。

2.268　干[①]，扞[②]也。

【注释】

①干（gàn）：捍卫。②扞（hàn）：护卫、捍卫。

2.269　趾[1]，足也。

【注释】

①趾：脚。

2.270　跸[1]，刖[2]也。

【注释】

①跸（fèi）：断足的刑罚。②刖（yuè）：砍掉脚的酷刑。

2.271　襄[1]，驾也。

【注释】

①襄：驾车。

2.272　忝[1]，辱也。

【注释】

①忝（tiǎn）：羞辱，有愧于。

2.273　燠[1]，煖也。

【注释】

①燠（yù）：暖、热。

2.274　块[1]，堛[2]也。

【注释】

①块：土块。②堛（bì）：土块。

2.275　将[1]，齐也。

【注释】

①将：分割。

2.276　糊[1]，饘[2]也。

【注释】

①糊：稠粥。②饘（zhān）：稠粥。

2.277　启[1]，跪也。

【注释】

①启：通“跽（jì）”，跪坐。

2.278　矈[1]，密也。

【注释】

①矈（mián）：密致。

2.279 开[①]，辟也。

【注释】

①开：开辟。

2.280 袍，襺[①]也。

【注释】

①襺（jiǎn）：丝绵衣。

2.281 障[①]，畛[②]也。

【注释】

①障：本义为阻隔，引申为界限。②畛（zhěn）：本义为田间道路，引申为界限。

2.282 靦[①]，姡[②]也。

【注释】

①靦（miǎn）：露面见人的样子。②姡（huó）：羞愧的样子。

2.283 鬻[①]，糜[②]也。

【注释】

①鬻（zhōu）：稀饭。②糜：稠粥。

2.284 舒[①]，缓也。

【注释】

①舒：迟缓。

2.285 翢[①]，纛[②]也。

【注释】

①翢（dào）：用牦牛尾或雉尾制成的舞具，又名羽葆幢。②纛（dào）：用牦牛尾或雉尾制成的舞具，又名羽葆幢。

2.286 纛[①]，翳[②]也。

【注释】

①纛（dào）：帝王车上用牦牛尾或雉尾制成的装饰物。②翳（yì）：用羽毛做成的车盖。

2.287 隍[①]，壑[②]也。

【注释】

①隍（huáng）：无水的护城河。②壑（hè）：本义为山谷，引申为护城河。

2.288 芼[①]，搴[②]也。

【注释】

①芼（mào）：拔取、采取。②搴（qiān）：采取、择取。

2.289 典[①]，经[②]也。

【注释】

①典：本义为简册，引申为经典著作。②经：本义为织物的纵线，引申为历来被尊奉的典范著作。

2.290 威[①]，则也。

【注释】

①威：本义为丈夫的母亲，引申为威严、威力，再引申为法则。

2.291 苛[①]，妎[②]也。

【注释】

①苛：苛刻、繁琐。②妎（hài）：烦苛。

2.292 芾[①]，小也。

【注释】

①芾（fèi）：微小的样子。

2.293 迷[①]，惑也。

【注释】

①迷：迷惑。

2.294 狃[①]，复也。

【注释】

①狃（niǔ）：重复。

2.295 逼[①]，迫也。

【注释】

①逼：逼迫、威胁。

2.296 般[①]，还也。

【注释】

①般：通“班”，返回。

2.297 班[①]，赋[②]也。

【注释】

①班：本义为分瑞玉，引申为分给、赏赐。②赋：本义为赋税，引申为授予、给予。

2.298　济[①]，渡也。

【注释】

①济（jì）：渡河。

2.299　济[①]，成也。

【注释】

①济：本义为渡河，引申为成就、成功。

2.300　济[①]，益也。

【注释】

①济：本义为渡河，引申为增加。

2.301　缗[①]，纶[②]也。

【注释】

①缗（mín）：钓丝。②纶（lún）：本义为青丝绶带，引申为钓丝。

2.302　辟[①]，历[②]也。

【注释】

①辟（bì）：本义为法度，引申为治理。②历（歷）：同"厤"，治理。

2.303　漦[①]，盝[②]也。

【注释】

①漦（chí）：渗流。②盝（lù）：同"漉"，渗漏、滤去。

2.304　宽，绰[①]也。

【注释】

①绰：宽裕、宽缓。

2.305　衮[①]，黻[②]也。

【注释】

①衮：古代天子祭祀时所穿的绣有龙形的礼服。②黻（fú）：古代礼服上所绣的黑与青相间的"亞"形花纹。

2.306　华[①]，皇[②]也。

【注释】

①华：花朵、花。②皇：通“葟”，草木之花。

2.307 昆[1]，后也。

【注释】

①昆：后，与“先”相对。

2.308 弥[1]，终也。

【注释】

①弥：本义为放松弓弦，引申为终极、尽。

释训第三

3.1 明明[1]、斤斤[2]，察也。

【注释】

①明明：明察的样子。②斤斤：明察的样子。

3.2 条条[1]、秩秩[2]，智也。

【注释】

①条条：有条理的样子。②秩秩：因有顺序而显得聪明的样子。

3.3 穆穆[1]、肃肃[2]，敬也。

【注释】

①穆穆：端庄恭顺的样子。②肃肃：恭敬的样子。

3.4 诸诸[1]、便便[2]，辩也。

【注释】

①诸诸：善于辞令。②便便：形容善于辞令。

3.5 肃肃[1]、翼翼[2]，恭也。

【注释】

①肃肃：恭敬的样子。②翼翼：恭敬谨慎的样子。

3.6 廱廱[1]、优优[2]，和也。

【注释】

①廱廱（yōng）：和乐的样子。②优优：宽和。

3.7　兢兢[1]、憴憴[2]，戒也。

【注释】

①兢兢：小心谨慎的样子。②憴憴（shéng）：同“绳绳”，戒慎的样子。

3.8　战战[1]、跄跄[2]，动也。

【注释】

①战战：戒惧的样子。②跄跄（qiāng）：走路有节奏的样子。

3.9　晏晏[1]、温温[2]，柔也。

【注释】

①晏晏：和柔的样子。②温温：谦和、柔和的样子。

3.10　业业[1]、翘翘[2]，危也。

【注释】

①业业：危惧的样子。②翘翘：高而危殆的样子。

3.11　惴惴[1]、憢憢[2]，惧也。

【注释】

①惴惴（zhuì）：忧惧戒慎的样子。②憢憢（xiāo）：同“哓哓”，恐惧的样子。

3.12　番番[1]、矫矫[2]，勇也。

【注释】

①番番（bō）：勇武的样子。　②矫矫：勇武的样子。

3.13　桓桓[1]、烈烈[2]，威也。

【注释】

①桓桓（huán）：威武的样子。②烈烈：本义为猛火燃炽的样子，引申为威武的样子。

3.14　洸洸[1]、赳赳[2]，武也。

【注释】

①洸洸（guāng）：威武的样子。②赳赳：雄健威武的样子。

3.15　蔼蔼[1]、济济[2]，止也。

【注释】

①蔼蔼：众多的样子。②济济（jǐ）：众多的样子。

3.16 悠悠①、洋洋②，思也。

【注释】

①悠悠：深思的样子。②洋洋（yǎng）：忧思的样子。

3.17 蹶蹶①、踖踖②，敏也。

【注释】

①蹶蹶（guì）：行事敏捷的样子。②踖踖（jí）：恭敬而敏捷的样子。

3.18 薨薨①、增增②，众也。

【注释】

①薨薨（hōng）：众虫齐飞的样子。②增增：众多的样子。

3.19 烝烝①、遂遂②，作也。

【注释】

①烝烝：兴盛的样子。②遂遂：茂盛的样子。

3.20 委委①、佗佗②，美也。

【注释】

①委委：行步美好的样子。②佗佗（tuó）：佳丽美好的样子。

3.21 怟怟①、惕惕②，爱也。

【注释】

①怟怟（qí）：爱悦、喜悦。②惕惕：忧愁的样子。

3.22 偁偁①、格格②，举也。

【注释】

①偁偁（chēng）：举持物体。②格格：扬起。

3.23 蓁蓁①、孽孽②，戴也。

【注释】

①蓁蓁（zhēn）：草木繁盛的样子。②孽孽：盛饰的样子。

3.24 愿愿①、媞媞②，安也。

【注释】

①愿愿（yān）：安闲的样子。②媞媞（tí）：安适的样子。

3.25 祁祁①、迟迟②，徐也。

【注释】

①祁祁：舒缓的样子。②迟迟：徐行的样子。

3.26　丕丕[1]、简简[2]，大也。

【注释】

①丕丕（pī）：很大的样子。②简简：很大的样子。

3.27　存存[1]、萌萌[2]，在也。

【注释】

①存存：存在的样子。②萌萌（méng）：同“蕄蕄”，存在的样子。

3.28　懋懋[1]、慔慔[2]，勉也。

【注释】

①懋懋（mào）：勉力的样子。②慔慔（mù）：勉力的样子。

3.29　庸庸[1]、慅慅[2]，劳也。

【注释】

①庸庸：劳苦的样子。②慅慅（cǎo）：忧劳的样子。

3.30　赫赫[1]、跃跃[2]，迅也。

【注释】

①赫赫：盛大迅疾的样子。②跃跃（tì）：疾跳的样子。

3.31　绰绰[1]、爰爰[2]，缓也。

【注释】

①绰绰：宽裕的样子。②爰爰（yuán）：舒缓的样子。

3.32　坎坎[1]、墫墫[2]，喜也。

【注释】

①坎坎：击鼓的声音。②墫墫（cūn）：起舞的样子。

3.33　瞿瞿[1]、休休[2]，俭也。

【注释】

①瞿瞿（jù）：勤谨的样子。②休休：安闲的样子。

3.34　旭旭[1]、跻跻[2]，㤭[3]也。

【注释】

①旭旭：得意骄傲的样子。②跻跻（jiǎo）：傲慢的样子。③㤭（jiāo）：同“骄”，骄傲。

3.35　梦梦[1]、讻讻[2]，乱也。

【注释】

①梦梦：昏乱的样子。②讹讹（zhùn）：昏聩惑乱的样子。

3.36 儚儚[①]、邈邈[②]，闷也。

【注释】

①儚儚（bó）：烦闷的样子。②邈邈：忧闷的样子。

3.37 儚儚[①]、洄洄[②]，惛[③]也。

【注释】

①儚儚（méng）：昏昧糊涂的样子。②洄洄（huí）：昏乱的样子。③惛：糊涂不明白。

3.38 版版[①]、荡荡[②]，僻也。

【注释】

①版版：同"板板"，乖戾反常的样子。②荡荡：恣纵无所约束的样子。

3.39 爞爞[①]、炎炎[②]，薰也。

【注释】

①爞爞（chóng）：虫虫，炎热的样子。②炎炎：炎热。

3.40 居居[①]，究究[②]，恶也。

【注释】

①居居：憎恶、不亲近的样子。②究究：相互憎恶的样子。

3.41 仇仇[①]、敖敖[②]，傲也。

【注释】

①仇仇：傲慢的样子。②敖敖：傲慢的样子。

3.42 佌佌[①]、琐琐[②]，小也。

【注释】

①佌佌（cǐ）：微小的样子。②琐琐：细小卑微的样子。

3.43 悄悄[①]、惨惨[②]，愠[③]也。

【注释】

①悄悄（qiǎo）：忧伤的样子。②惨惨：忧愁的样子。③愠：愁恨。

3.44 痯痯[①]、瘐瘐[②]，病也。

【注释】

①痯痯（guǎn）：疲劳的样子。②瘐瘐（yǔ）：忧病的样子。

3.45　殷殷[1]、惸惸[2]、忉忉[3]、慱慱[4]、钦钦[5]、京京[6]、忡忡[7]、惙惙[8]、怲怲[9]、奕奕[10]，忧也。

【注释】

①殷殷：忧伤的样子。②惸惸（qióng）：忧思的样子。③忉忉（dāo）：忧思的样子。④慱慱（tuán）：忧劳的样子。⑤钦钦：忧思难忘的样子。⑥京京：忧愁不绝的样子。⑦忡忡（chōng）：忧愁的样子。⑧惙惙（chuò）：忧伤的样子。⑨怲怲（bǐng）：忧甚的样子。⑩奕奕：同"弈弈"，忧愁的样子。

3.46　畇畇[1]，田也。

【注释】

①畇畇（yún）：田被开垦的样子。

3.47　畟畟[1]，耜[2]也。

【注释】

①畟畟（cè）：锋利的样子。②耜（sì）：农具下端用来铲土的部件，初以木制，后以金属制作。

3.48　郝郝[1]，耕也。

【注释】

①郝郝（shì）：通"释释"，分解离散的样子。

3.49　绎绎[1]，生也。

【注释】

①绎绎：同"驿驿"，长势旺盛的样子。

3.50　穟穟[1]，苗也。

【注释】

①穟穟（suì）：禾苗美好的样子。

3.51　绵绵[1]，穮[2]也。

【注释】

①绵绵：连绵不断的样子。②穮（biāo）：耘田除草。

3.52　挃挃[1]，获也。栗栗[2]，众也。

【注释】

①挃挃（zhì）：收获庄稼的声音。②栗栗：收获庄稼众多的样子。

3.53 溞溞①，淅也。烰烰②，烝③也。

【注释】

①溞溞（sōu）：淘米的声音。②烰烰（fú）：热气腾腾的样子。③烝：用蒸气加热。

3.54 俅俅①，服②也。

【注释】

①俅俅（qiú）：冠饰华美的样子。②服：衣服。

3.55 峨峨①，祭也。

【注释】

①峨峨：盛美的样子。

3.56 锽锽①，乐也。

【注释】

①锽锽（huáng）：同“喤喤”，钟鼓的声音。

3.57 穰穰①，福也。

【注释】

①穰穰（ráng）：饶多的样子。

3.58 子子孙孙①，引②无极也。

【注释】

①子子孙孙：子孙后裔、世世代代。②引：延续。

3.59 颙颙①、卬卬②，君之德也。

【注释】

①颙颙（yóng）：庄重恭敬的样子。②卬卬（áng）：气宇轩昂的样子。

3.60 丁丁①、嘤嘤②，相切直③也。

【注释】

①丁丁（zhēng）：伐木的声音。②嘤嘤：鸟和鸣的样子。③相切直：朋友切磋相正。

3.61 蔼蔼①、萋萋②，臣尽力也。噰噰喈喈③，民协服也。

【注释】

①蔼蔼：贤臣众多的样子。②萋萋：梧桐茂盛的样子，比喻君德盛大。

③噰噰（yōng）喈喈（jiē）：鸟和鸣的样子，比喻民臣和谐。

3.62 佻佻[①]、契契[②]，愈遐急也。

【注释】

①佻佻（tiáo）：独行叹息的样子。②契契：愁苦的样子。

3.63 宴宴[①]、粲粲[②]，尼居息也。

【注释】

①宴宴：同“燕燕”，安闲逸乐的样子。②粲粲：鲜洁华美的样子。

3.64 哀哀[①]、悽悽[②]，怀报德也。

【注释】

①哀哀：悲伤不已的样子。②悽悽：同“萋萋”，悲伤凄凉的样子。

3.65 儵儵[①]、嘒嘒[②]，罹[③]祸毒也。

【注释】

①儵儵（yōu）：同“悠悠”，忧思的样子。②嘒嘒（huì）：蝉鸣的声音，比喻忧伤。③罹（lí）：遭受。

3.66 晏晏[①]、旦旦[②]，悔爽忒[③]也。

【注释】

①晏晏：和柔的样子。②旦旦：诚恳的样子。③爽忒：差失。

3.67 皋皋[①]、琄琄[②]，刺素食也。

【注释】

①皋皋：愚顽无知的样子。②琄琄（xuàn）：佩玉累垂的样子。

3.68 懽懽[①]、愮愮[②]，忧无告也。

【注释】

①懽懽（guàn）：同“管管”，无所依凭的样子。②愮愮（yáo）：同“摇摇”，忧愁而无处告诉的样子。

3.69 宪宪[①]、洩洩[②]，制法则也。

【注释】

①宪宪：喜悦的样子。②洩洩（yì）：和乐的样子。

3.70 谑谑[①]、謞謞[②]，崇谗慝[③]也。

【注释】

①谑谑（xuè）：喜乐的样子。②謞謞（hè）：炽盛的样子。③谗慝（tè）：

邪恶奸佞。

3.71 翕翕[①]、訿訿[②]，莫供职也。

【注释】

①翕翕（xī）：苟合趋附的样子。 ②訿訿（zǐ）：自营私利不称职的样子。

3.72 速速[①]、蹙蹙[②]，惟逑鞫[③]也。

【注释】

①速速：猥琐丑陋的样子。②蹙蹙（cù）：局促不安的样子。③鞫（jū）：穷。

3.73 抑抑[①]，密也。秩秩[②]，清也。

【注释】

①抑抑：致密的样子。②秩秩：清明的样子。

3.74 甹夆[①]，掣曳[②]也。

【注释】

①甹（pínɡ）夆（fēnɡ）：牵引。②掣（chè）曳（yè）：牵托、牵引。

3.75 朔[①]，北方也。

【注释】

①朔：北方。

3.76 不俟[①]，不来也。

【注释】

①不俟：不可等待。

3.77 不遹[①]，不迹[②]也。

【注释】

①不遹（yù）：不遵循法度。②不迹：不遵循法度。

3.78 不彻[①]，不道也。

【注释】

①不彻：不循常规。

3.79 勿念[①]，勿忘也。

【注释】

①勿念：勿，语气助词，无意义。

3.80 萲[1]、谖[2]，忘也。

【注释】

①萲（xuān）：本义为忘忧草，引申为忘记。②谖：通“萱”，忘记。

3.81 每有[1]，虽也。

【注释】

①每有：虽有。

3.82 饎[1]，酒食也。

【注释】

①饎（chì）：酒食。

3.83 舞、号，雩[1]也。

【注释】

①雩（yú）：为祈雨而举行的祭祀。

3.84 暨[1]，不及[2]也。

【注释】

①暨：及。②不及：及。“不”是衍文。

3.85 蠢[1]，不逊也。

【注释】

①蠢：不谦逊。

3.86 “如切如磋”，道学也[1]。“如琢如磨”，自修也[2]。“瑟兮僩兮”，恂栗也[3]。“赫兮烜兮”，威仪也。“有斐君子，终不可谖兮”，道盛德至善，民之不能忘也[4]。

【注释】

①“如切如磋”，道学也：比喻治学。②“如琢如磨”，自修也：比喻自己修身。③“瑟兮僩兮”，恂栗也：为人非常恭谨。④“有斐君子，终不可谖兮”，道盛德至善，民之不能忘也：道德品质高尚的人不会被人忘记。

3.87 “既微且尰”[1]，骭疡[2]为微，肿足为尰。

【注释】

①“既微且尰”：《小雅》诗句。微，胫部有疮；尰（zhǒng），足部水肿。②骭（gàn）疡：胫疮。

3.88　“是刈是濩”[1]，濩，煮之也。

【注释】

①濩（huò）：煮。

3.89　“履帝武[1]敏[2]”，武，迹也；敏，拇也。

【注释】

①武：足迹。②敏：足大趾。

3.90　“张仲孝友”[1]，善父母为孝，善兄弟为友。

【注释】

①“张仲孝友”：出自《小雅·六月》。

3.91　“有客宿宿”，言再宿也。“有客信信”，言四宿也[1]。

【注释】

①“有客宿宿”“有客信信”：均出自《诗·周颂·有客》。

3.92　美女为媛[1]。

【注释】

①媛（yuàn）：美女。

3.93　美士为彦[1]。

【注释】

①彦：贤士、俊才。

3.94　“其虚其徐”[1]，威仪容止也。

【注释】

①其虚其徐：谦虚从容。

3.95　“猗嗟名兮”[1]，目上为名。

【注释】

①猗嗟名兮：出自《诗经·齐风·猗嗟》。猗嗟，叹词，表示赞叹。

3.96　“式微式微”[1]者，微乎微者也。

【注释】

①“式微式微”：出自《诗经·邶风·式微》。式微，衰微。

3.97　之子[1]者，是子也。

【注释】

①之子：这个人。

3.98　“徒御不惊”①，辇者也。

【注释】

①“徒御不惊”：出自《诗经·小雅·车攻》，御马的人警惕戒备。不，语气助词，无义。

3.99　襢裼①，肉袒②也。

【注释】

①襢（tǎn）裼（xī）：脱衣露体。②肉袒：脱衣露体。

3.100　暴虎，徒搏也①。

【注释】

①暴虎，徒搏也：空手与老虎搏斗。

3.101　冯河①，徒涉也。

【注释】

①冯河：徒步涉水渡河。

3.102　籧篨①，口柔也。

【注释】

①籧（qú）篨（chú）：形容花言巧语、献媚奉承的情态。

3.103　戚施①，面柔也。

【注释】

①戚施：描写阿谀奉承的人的样子。

3.104　夸毗①，体柔也。

【注释】

①夸毗：描写献媚卑屈之人的情态。

3.105　婆娑①，舞也。

【注释】

①婆娑：描写翩翩起舞的样子。

3.106　擗①，拊②心也。

【注释】

①擗（pǐ）：拍胸。②拊（fǔ）心：拍胸。

3.107　矜[1]、怜，抚掩[2]之也。

【注释】

①矜：怜悯、同情。②抚掩：安慰体恤。

3.108　绒[1]，羔裘之缝也。

【注释】

①绒（yù）：羔裘的衣缝。

3.109　殿屎[1]，呻也。

【注释】

①殿屎（xī）：愁苦呻吟。

3.110　帱[1]谓之帐。

【注释】

①帱（chóu）：同“裯”，床帐。

3.111　侜张[1]，诳也。

【注释】

①侜（zhōu）张：欺诳。

3.112　谁昔[1]，昔也。

【注释】

①谁昔：从前。

3.113　不辰[1]，不时也。

【注释】

①不辰：不得其时。

3.114　凡曲者为罶[1]。

【注释】

①罶（liǔ）：曲梁，捕鱼的竹篓。

3.115　鬼之为言[1]归也。

【注释】

①之为言：训诂术语，相当于“所谓……就是……”。

释亲第四

4.1　父为考①，母为妣②。

【注释】

①考：指父亲，后来转指对死去父亲的称呼。②妣（bǐ）：指母亲，后来转指对死去母亲的称呼。

4.2　父之考为王父①，父之妣为王母。王父之考为曾祖②王父，王父之妣为曾祖王母。曾祖王父之考为高祖③王父，曾祖王父之妣为高祖王母。

【注释】

①王父：祖父。②曾祖：祖父的父亲。③高祖：曾祖的父亲。

4.3　父之世父①、叔父为从②祖祖父，父之世母③、叔母为从祖祖母。

【注释】

①世父：大伯父。②从：同宗亲属。③世母：伯母。

4.4　父之晜①弟，先生为世父，后生为叔父②。

【注释】

①晜（kūn）：同“昆”，兄。②叔父：父亲的弟弟。

4.5　男子先生为兄①，后生为弟②。男子谓女子先生为姊③，后生为妹④。父之姊妹为姑。

【注释】

①兄：哥哥。②弟：同父母、同父或同母而后生的男子。③姊：姐姐。④妹：妹妹。

4.6　父之从父晜①弟为从祖父，父之从祖晜弟②为族父。族父之子相谓为族晜弟③。族晜弟之子相谓为亲同姓。兄之子、弟之子相谓为从父晜弟。

【注释】

①从父晜（kūn）弟：同祖父的兄弟。②从祖晜弟：同曾祖父的兄弟。③族

晜弟：同高祖父的兄弟。

4.7　子之子为孙[①]，孙之子为曾孙[②]，曾孙之子为玄孙[③]，玄孙之子为来孙[④]，来孙之子为晜孙[⑤]，晜孙之子为仍孙[⑥]，仍孙之子为云孙[⑦]。

【注释】

①孙：儿子的儿子。②曾孙：孙子的儿子。③玄孙：从自身算起的第五代。④来孙：玄孙之子，从自身算起的第六代。⑤晜孙：第七代世孙。⑥仍孙：从自身算起的第八代世孙。⑦云孙：从自身算起的第九代世孙。

4.8　王父之姊妹为王姑[①]，曾祖王父之姊妹为曾祖王姑[②]，高祖王父之姊妹为高祖王姑。父之从父姊妹为从祖姑[③]，父之从祖姊妹为族祖姑[④]。

【注释】

①王姑：祖父的姐妹。②曾祖王姑：曾祖父的姐妹。③从祖姑：父亲的叔伯的姐妹。④族祖姑：祖父的叔伯的姐妹。

4.9　父之从父晜弟之母为从祖王母[①]，父之从祖晜弟之母为族祖王母[②]。父之兄妻为世母，父之弟妻为叔母[③]。父之从父晜弟之妻为从祖母[④]，父之从祖晜弟之妻为族祖母[⑤]。

【注释】

①从祖王母：从祖祖母，或伯祖母、叔祖母。②族祖王母：族父的祖母。③叔母：叔父的妻子。④从祖母：父亲的堂兄弟之妻。⑤族祖母：族父的母亲。

4.10　父之从祖祖父为族曾王父[①]，父之从祖祖母为族曾王母[②]。

【注释】

①族曾王父：父亲的从祖祖父。②族曾王母：父亲的从祖祖母。

4.11　父之妾为庶母[①]。

【注释】

①庶母：父亲的妾。

4.12　祖，王父也。晜[①]，兄也。——宗族[②]。

【注释】

①晜：同“昆”，兄。②宗族：同宗亲族。

4.13 母之考为外王父①，母之妣为外王母②。母之王考为外曾王父③，母之王妣为外曾王母④。

【注释】

①外王父：外祖父。②外王母：外祖母。③外曾王父：外祖父的父亲。④外曾王母：外祖父的母亲。

4.14 母之晜弟为舅①，母之从父晜弟为从舅②。

【注释】

①舅：舅父。②从舅：母亲的叔伯兄弟。

4.15 母之姊妹为从母①，从母之男子为从母晜弟，其女子子为从母姊妹。——母党②。

【注释】

①从母：母亲的姐妹，即姨母。②母党：母亲亲族。

4.16 妻之父为外舅①，妻之母为外姑②。

【注释】

①外舅：岳父。②外姑：岳母。

4.17 姑之子为甥①，舅之子为甥，妻之晜弟为甥，姊妹之夫为甥。

【注释】

①甥：姑姑的孩子，舅舅的孩子，妻子的兄弟和姐妹的丈夫，都叫甥。

4.18 妻之姊妹同出①为姨。女子谓姊妹之夫为私②。

【注释】

①同出：都嫁出。②私：姐妹的丈夫。

4.19 男子谓姊妹之子为出①。女子谓晜弟之子为侄②，谓出之子为离孙③，谓侄之子为归孙④。女子子之子为外孙。

【注释】

①出：姐妹出嫁所生的孩子，也叫外甥。②侄：女子称兄弟的儿子为侄。③离孙：外甥的儿子。④归孙：侄子的儿子。

4.20 女子同出①，谓先生为姒②，后生为娣③。

【注释】

①同出：同嫁一夫。②姒（sì）：古代称同嫁一夫的女子中年长的为姒。③娣：古代称同嫁一夫的女子中年幼的为娣。

4.21 女子谓兄之妻为嫂①，弟之妻为妇②。

【注释】

①嫂：兄长的妻子。②妇：弟弟的妻子。

4.22 长妇①谓稚妇为娣妇，娣妇②谓长妇为姒妇。——妻党③。

【注释】

①长（zhǎng）妇：哥哥的妻子。②娣妇：弟弟的妻子。③妻党：妻子一方亲族的亲属关系。

4.23 妇称夫之父曰舅①，称夫之母曰姑②。姑舅在，则曰君舅、君姑；没，则曰先舅③、先姑④。谓夫之庶母为少姑⑤。

【注释】

①舅：妻子称丈夫的父亲为舅。②姑：妻子称丈夫的母亲为姑。③先舅：妻子称丈夫去世的父亲为先舅。④先姑：妻子称丈夫去世的母亲为先姑。⑤少姑：妻子称丈夫的庶母为少姑。

4.24 夫之兄为兄公①，夫之弟为叔②，夫之姊为女公③，夫之女弟为女妹④。

【注释】

①兄公：丈夫的兄长为兄公。②叔：丈夫的弟弟为叔。③女公：丈夫的姐姐。④女妹：丈夫的妹妹。

4.25 子之妻为妇①：长妇为嫡妇②，众妇为庶妇③。

【注释】

①妇：儿媳。②嫡妇：嫡长子之妻。③庶妇：嫡子的众妾或庶子的妻妾。

4.26 女子子之夫为婿①。

【注释】

①婿：女婿。

4.27　婿之父为姻[1]，妇之父为婚[2]。

【注释】

①姻：女婿的父亲。②婚：儿媳的父亲。

4.28　父之党[1]为宗族[2]，母与妻之党为兄弟[3]。

【注释】

①党：亲族。②宗族：同宗同族之人。③兄弟：统称亲戚。

4.29　妇之父母、婿之父母，相谓为婚姻。两婿相谓为亚[1]。

【注释】

①亚：通"娅"，姐妹丈夫的互称，俗称连襟。

4.30　妇之党为婚兄弟[1]，婿之党为姻兄[2]弟。

【注释】

①婚兄弟：儿媳的亲族。②姻兄：女婿的亲族。

4.31　嫔[1]，妇也。

【注释】

①嫔（pín）：古代帝女出嫁，宫廷女官都称为"嫔"，故作为死去妻子的美称。

4.32　谓我舅者[1]，吾谓之甥也。——婚姻[2]。

【注释】

①谓我舅者，吾谓之甥：叫我舅舅的人，我叫他甥。②婚姻：婚姻之类的亲属关系。

释宫第五

5.1　宫谓之室，室谓之宫[1]。

【注释】

①宫：房屋、居室的通称。

5.2　牖[1]户之间谓之扆[2]，其内谓之家。东西墙谓之序。

【注释】

①牖（yǒu）户：窗与门。②扆（yǐ）：堂室的窗门之间的地方。

5.3 西南隅[①]谓之奥，西北隅谓之屋漏，东北隅谓之宧[②]，东南隅谓之窔[③]。

【注释】

①隅（yú）：本义为山水弯曲处，引申为角、角落。②宧：音yí。③窔：音yǎo，又读yào。

5.4 柣[①]谓之阈。枨[②]谓之楔。楣[③]谓之梁。枢[④]谓之椳。枢达北方谓之落时[⑤]，落时谓之戹[⑥]。

【注释】

①柣（zhì）：门槛。②枨（chéng）：门两旁竖立的木柱。③楣：门框上边的横木。④枢（shū）：门枢，指承托门轴的门臼。⑤落时：古代宫室撑持门轴的木头。⑥戹（shì）：门轴。

5.5 垝[①]谓之坫[②]。墙谓之墉[③]。

【注释】

①垝（guì）：堂内放置物品的土台。②坫（diàn）：筑在堂内的土台。③墉（yōng）：本义为城墙，引申为高墙。

5.6 镘[①]谓之杇[②]。椹[③]谓之榩[④]。地谓之黝[⑤]。墙谓之垩[⑥]。

【注释】

①镘（màn）：泥瓦工用来涂刷墙壁的工具。②杇：音wū。③椹（zhēn）：斫木垫板。④榩：音qián。⑤黝（yǒu）：涂饰黑色。⑥垩（è）：涂饰白色。

5.7 樴[①]谓之杙。在墙者谓之楎[②]，在地者谓之臬[③]。大者谓之栱[④]，长者谓之阁[⑤]。

【注释】

①樴（zhí）：小木桩。②楎（huī）：钉在墙上用来悬挂衣服的木橛。③臬（niè）：观测日影的标杆。④栱（gǒng）：在立柱与横梁交接处向外伸出成弓形的承重结构。⑤阁：开门后插在两旁用来固定门扇的长木桩。

5.8 阇[①]谓之台，有木者谓之榭[②]。

【注释】

①阇（dū）：城门上的台。②榭（xiè）：建在高台上的木屋。

5.9　鸡栖于弋[1]为榤[2]，凿垣而栖为埘[3]。

【注释】

①弋（yì）：木桩。②榤（jié）：鸡栖息的木桩。③埘（shí）：凿墙壁做成的鸡窝。

5.10　植[1]谓之传，传谓之突。

【注释】

①植：门外闭时用以加锁的中立直木。

5.11　宎廇[1]谓之梁，其上楹谓之棁[2]。闬谓之槉[3]。栭谓之楶[4]。栋谓之桴[5]。桷谓之榱[6]。桷直而遂谓之阅[7]，直不受檐谓之交[8]。檐谓之樀[9]。

【注释】

①宎（máng）廇（liù）：房屋的大梁。②棁（zhuō）：梁上的短柱。③闬（biàn）：门柱上的斗拱。槉（jí），即栱。④栭（ér）：柱上支撑大梁的方木。楶（jié）：斗栱。⑤桴（fú）：房屋的二梁，亦泛指房栋。⑥桷（jué）：方形的椽子。榱（cuī），房椽。⑦阅：长而直达于檐的桷。⑧交：短的房椽。⑨樀（dí）：屋檐。

5.12　容[1]谓之防。

【注释】

①容：本义为容纳，引申为射礼唱获者用以防箭的遮蔽物小屏风。

5.13　连[1]谓之簃[2]。

【注释】

①连：同“梿”，堂楼阁边的小屋。②簃：音yí。

5.14　屋上薄[1]谓之筄[2]。

【注释】

①薄：帘子。②筄（yào）：铺在椽上瓦下用以防漏的竹箔或苇箔。

5.15　两阶间谓之乡[1]。中庭之左右谓之位[2]。门屏之间谓之宁[3]。屏谓之树[4]。

【注释】

①乡（xiàng）：本义为朝向，引申为殿堂前两阶之间。②位：群臣的列

位。③宁（zhù）：本义为伫立，引申为宫室门和屏之间。④树：本义为竖立，引申为门屏、照壁。

5.16　闬①谓之门。

【注释】

①闬（bēng）：宗庙的门。

5.17　正门谓之应门①。

【注释】

①应门：王宫的正门。

5.18　观①谓之阙。

【注释】

①观（guàn）：宫门外的双阙。

5.19　宫中之门谓之闱①，其小者谓之闺②，小闺谓之閤③。衖门谓之闳④。

【注释】

①闱（wéi）：宫中小门。②闺：宫中小门。③閤（gé）：宫中小门。④衖（xiàng）：同“巷”，胡同。

5.20　门侧之堂谓之塾①。

【注释】

①塾（shú）：宫门内外两侧的堂屋。

5.21　橛①谓之闑。阖②谓之扉。所以止扉谓之閎③。

【注释】

①橛：短木桩，指门中央所竖短木。②阖（hé）：门扇。③閎：开门后插在两旁用来固定门扇的长木桩。

5.22　瓴甋①谓之甓②。

【注释】

①瓴（líng）甋（dì）：长方形砖。②甓：音pì。

5.23　宫中衖谓之壸①。庙中路谓之唐②。堂途③谓之陈。

【注释】

①壸（kǔn）：宫中巷舍之间的道路。②唐：庙中的道路。③堂途：堂下到

院门的通道。

5.24　路、旅[①]，途也。路、场[②]、猷[③]、行[④]，道也。

【注释】

①旅：道路。②场：道路。③猷（yóu）：道路。④行（háng）：道路。

5.25　一达[①]谓之道路，二达谓之歧旁[②]，三达谓之剧旁[③]，四达谓之衢[④]，五达谓之康[⑤]，六达谓之庄[⑥]，七达谓之剧骖[⑦]，八达谓之崇期[⑧]，九达谓之逵[⑨]。

【注释】

①达：通达。②歧旁：通往两个方向的道路。③剧旁：通往三个方向的道路。④衢（qú）：通往四个方向的道路。⑤康：通往五个方向的道路。⑥庄：通往六个方向的道路。⑦剧骖（cān）：通往七个方向的道路。⑧崇期：通往八个方向的道路。⑨逵（kuí）：通往九个方向的道路。

5.26　室中谓之时[①]，堂上谓之行[②]，堂下谓之步[③]，门外谓之趋[④]，中庭谓之走[⑤]，大路谓之奔[⑥]。

【注释】

①时：通“峙”（chí），徘徊不前，指安步慢行。②行：在堂室慢走。③步：在堂下行走。④趋：在堂室之外快走。⑤走：在堂室之外的庭中跑动。⑥奔：在大路上快跑。

5.27　隄[①]谓之梁。石杠[②]谓之徛[③]。

【注释】

①隄（dī）：桥梁。②石杠（gāng）：两头聚石，以木横架之，可以行如桥。③徛（jì）：放在水中，露出水面用来过河的石头。

5.28　室有东西厢曰庙[①]，无东西厢有室曰寝[②]。无室曰榭[③]。四方而高曰台[④]。陕[⑤]而修曲曰楼[⑥]。

【注释】

①庙：古代结构完整的成套大屋。②寝：只有室，没有东西厢房的叫寝。③榭：没有室的厅堂或建筑。④台：高处地方四边为方的称为台。⑤陕（xiá）：同“狭”，狭窄。⑥楼：城墙或土台上狭长而屈曲的建筑物。

释器第六

6.1　木豆[①]谓之豆。竹豆谓之笾[②]。瓦豆谓之登[③]。

【注释】

①豆：古代食器，也用作装酒肉的祭器。②笾（biān）：竹制的豆。③登：瓦制的豆。

6.2　盎[①]谓之缶。瓯[②]瓿[③]谓之瓵[④]。康瓠[⑤]谓之甈[⑥]。

【注释】

①盎（àng）：大腹小口的瓦器。②瓯（ōu）：盆、盂一类的瓦器。③瓿（bù）：陶或青铜制成的容器名。④瓵（yí）：瓮、盆一类的瓦器。⑤康瓠：破瓦壶、空壶。⑥甈（qì）：破瓦壶。

6.3　斪斸[①]谓之定。斫谓之鐯[②]。斛谓之疀[③]。

【注释】

①斪（qú）斸（zhú）：锄头一类的农具。②斫（zhuó）、鐯（zhuó）：大锄。③斛（qiāo）、疀（chā）：锹。

6.4　緵[①]罟谓之九罭[②]。九罭，鱼罔也。嫠妇之笱谓之罶[③]，罺谓之汕[④]，篧[⑤]谓之罩，槮谓之涔[⑥]。

【注释】

①緵（zòng）罟（gǔ）：捕小鱼的细网。②九罭（yù）：捕小鱼的细网。③嫠（lí）妇之笱（gǒu）、罶（liǔ）：竹制的捕鱼器。④罺（cháo）、汕（shàn）：抄网。⑤篧（zhuó）：用细竹编成的捕鱼的笼罩。⑥槮（sēn）、涔（qián）：积柴木于水中用作捕鱼之具。

6.5　鸟罟谓之罗[①]。兔罟谓之罝[②]。麋罟谓之罞[③]。彘罟谓之羉[④]。鱼罟谓之罛[⑤]。繴谓之罿，罿，罬也。罬谓之罦，罦[⑥]，覆车也。

【注释】

①罗：捕鸟的网。②罝（jū）：捕兔子的网。③罞（máo）：捕麋鹿的网。④羉（luán）：捕猪的网。⑤罛（gū）：一种捕鱼的大网。⑥繴（bì）、罿

(chōng)、罬(zhuó)、罦(fú)、覆车：一种装设机关捕鸟兽的网。

6.6　绚[1]谓之救。

【注释】

①绚(qú)：网罟的别名。

6.7　律[1]谓之分。

【注释】

①律：捕鸟的长柄网。

6.8　大版谓之业[1]。

【注释】

①业：古代乐器架横木上悬挂钟、鼓等刻如锯齿的大版。

6.9　绳之[1]谓之缩之。

【注释】

①绳之：用绳索约束筑版。

6.10　彝[1]、卣[2]、罍[3]，器也。小罍谓之坎[4]。

【注释】

①彝(yí)：宗庙常用的青铜器的总名。②卣(yǒu)：一种中型的青铜酒器。③罍(léi)：一种盛酒的器具。④坎：盛酒器，形如壶，很小。

6.11　衣統谓之視[1]。黼领谓之襮[2]。缘谓之纯[3]。袕谓之䙝[4]。衣眥[5]谓之襟。衱谓之裾[6]。衿谓之袸[7]。佩衿谓之褑[8]。执衽谓之袺[9]。扱衽谓之襭[10]。衣蔽前谓之襜[11]。妇人之袆谓之缡[12]。缡，緌[13]也。裳削幅谓之纀[14]。

【注释】

①衣統(liú)、視(ní)：衣缕。②黼(fǔ)、襮(bó)：绣有黼形花纹的衣领。③缘(yuàn)、纯(zhǔn)：衣服的缘饰。④袕(xué)、䙝(yīng)：开孔的衣服。⑤衣眥(zì)：衣领的交接处。⑥衱(jié)、裾(jū)：衣服的后襟。⑦衿(qìn)、袸(jiàn)：系衣服的小带。⑧褑(yuàn)：衣襟上佩玉的带子。⑨袺(jié)：用手把衣襟往上提。⑩扱(chā)衽、襭(xié)：把衣襟插在腰带上兜东西。⑪襜(chān)：系在衣服前面的围裙。⑫袆(huī)、缡(lí)：佩于前身可以蔽膝的佩巾。⑬緌(ruí)：系结。⑭纀(pú)：古代深衣的下裳。

6.12　舆[①]，革前谓之䩡[②]，后谓之茀[③]。竹，前谓之御[④]，后谓之蔽[⑤]。环谓之捐[⑥]，镳[⑦]谓之钀[⑧]。载辔谓之轙[⑨]，辔首谓之革[⑩]。

【注释】

①舆：本义是车厢，引申为车。②䩡（hén）：车厢前面的革制遮蔽物。③茀（fú）：车厢后面登车的门户上的革制遮蔽物。④御：古代车厢前面的竹制装饰物。⑤蔽：古代车厢后面的竹制装饰物。⑥捐：穿缰绳的圆环。⑦镳（biāo）：马嚼子。⑧钀（niè）：勒马的工具。⑨轙（yǐ）：车衡上贯穿缰绳的大环。⑩革：马笼头。

6.13　饫谓之餯[①]，食饐谓之餲[②]。抟者谓之烂[③]，米者谓之糪[④]。肉谓之败[⑤]，鱼谓之馁[⑥]。

【注释】

①饫（hài）、餯（huì）：食物变味发臭。②饐（yì）、餲（ài）：食物经久而变味。③烂（làn）：因水分大而蒸煮过度的饭。④糪（bò）：半生半熟的饭。⑤败：肉变质了。⑥馁：鱼类腐烂。

6.14　肉曰脱[①]之，鱼曰斮[②]之。

【注释】

①脱：剥皮。②斮（zhuó）：鱼剥去鳞。

6.15　冰[①]，脂也。

【注释】

①冰（níng）：脂膏。

6.16　肉谓之羹[①]，鱼谓之鮨[②]。肉谓之醢[③]，有骨者谓之臡[④]。

【注释】

①羹：带有肉类的浓汁食物。②鮨（qí）：鱼酱。③醢（hǎi）：肉酱。④臡（ní）：带骨的肉酱。

6.17　康[①]谓之蛊。

【注释】

①康：同“糠”，稻、麦、谷子等子实脱下来的皮或壳。

6.18　淀谓之垽[1]。

【注释】

①垽（yìn）：泥渣。

6.19　鼎[1]绝大谓之鼐[2]，圜[3]弇上谓之鼒[4]，附耳外谓之釴[5]，款足[6]者谓之鬲。

【注释】

①鼎：古代器物，常见的为圆腹三足两耳，用于煮、盛物品。②鼐（nài）：大鼎。③圜（yuán）：本义指天，引申为圆形。④鼒（zī）：小口的鼎。⑤釴（yì）：附耳在唇外的方鼎。⑥款足：中间空的鼎足。

6.20　䰝谓之鬵。鬵，鉹[1]也。

【注释】

①䰝（zèng）、鬵（qín）、鉹（chǐ）：釜类烹器。

6.21　璲[1]，瑞也。玉十谓之区[2]。

【注释】

①璲（suì）：瑞玉名。②区：玉的计算单位，十件玉为区。

6.22　羽本谓之翮[1]。一羽谓之箴，十羽谓之縳[2]，百羽谓之緷[3]。

【注释】

①翮（hé）：鸟羽茎下端的中空部分。②縳（zhuàn）：羽毛的数量名称，十根羽毛捆在一起。③緷（gǔn）：羽毛的数量名称，百根羽毛捆在一起。

6.23　木谓之虡[1]。

【注释】

①虡（jù）：悬挂钟鼓木架的两侧立柱。

6.24　旄谓之藣[1]。

【注释】

①旄（máo）、藣（bēi）：牦牛尾，古代舞者手拿的牛尾。

6.25　菜谓之蔌[1]。

【注释】

①蔌（sù）：蔬菜的总称。

6.26　白盖谓之苫[1]。

【注释】

①苫（shān）：用茅草编制的覆盖物。

6.27　黄金谓之璗[1]，其美者谓之镠[2]。白金谓之银，其美者谓之镣[3]。饼金谓之钣[4]。锡谓之钘[5]。

【注释】

①璗（dàng）：黄金。②镠（liú）：纯美的黄金，又称紫磨金。③镣（liáo）：精美的白银。④饼（bǐng）、钣（bǎn）：饼状的金银块。⑤钘（yǐn）：锡。

6.28　象谓之鹄[1]，角谓之鬻[2]，犀谓之剒[3]，木谓之剫[4]，玉谓之雕[5]。

【注释】

①鹄（hú）：加工象牙。②鬻（xué）：加工兽角。③剒（cuò）：加工犀牛角。④剫（duó）：加工木料。⑤雕：雕刻，制玉的工艺。

6.29　金谓之镂[1]，木谓之刻，骨谓之切，象谓之磋[2]，玉谓之琢[3]，石谓之磨。

【注释】

①镂：雕刻金属。②磋（cuō）：雕刻象牙制品。③琢：加工玉石。

6.30　璆、琳[1]，玉也。

【注释】

①璆（qiú）、琳（lín）：美玉名。

6.31　简谓之毕[1]。

【注释】

①毕：古代用来书写的竹筒。

6.32　不律[1]谓之笔。

【注释】

①不律：笔。

6.33　灭谓之点[1]。

【注释】

①灭、点：涂掉文字。

6.34 绝泽[①]谓之铣[②]。

【注释】

①绝泽：极度有光泽。②铣（xiǎn）：最有光泽的金属。

6.35 金镞[①]翦[②]羽谓之鍭[③]，骨镞不翦羽谓之志[④]。

【注释】

①镞（zú）：箭头。②翦（jiǎn）：剪除。③鍭（hóu）：箭头。④志：以骨头制成箭头，不齐羽的叫志。

6.36 弓[①]有缘[②]者谓之弓，无缘者谓之弭[③]。以金者谓之铣[④]，以蜃者谓之珧[⑤]，以玉者谓之珪[⑥]。

【注释】

①弓：射箭或打弹的器械。②缘：指弓的两头的骨饰。③弭（mǐ）：末端用角、骨装饰而不用丝绳装饰的弓。④铣（xiǎn）：弓两端用金装饰。⑤珧（yáo）：用蛤、蚌之壳装饰的弓。⑥珪（guī）：用玉装饰的弓。

6.37 珪[①]大尺二寸谓之玠[②]。璋[③]大八寸谓之琡[④]。璧大六寸谓之宣。肉倍好谓之璧，好倍肉[⑤]谓之瑗[⑥]，肉好若一谓之环。

【注释】

①珪：同“圭”，瑞玉名。②玠（jiè）：大圭。③璋（zhāng）：瑞玉名。④琡（chù）：八寸的璋。⑤好、肉：中间有孔的环状物的边和孔。⑥瑗（yuàn）：孔大边小的璧。

6.38 缕[①]，绶[②]也。

【注释】

①缕（suì）：古代贯穿佩玉的带子。②绶（shòu）：用来系佩玉和印章等的丝带。

6.39 一染谓之縓[①]，再染谓之赪[②]，三染谓之纁[③]。青谓之葱，黑谓之黝。斧谓之黼[④]。

【注释】

①縓（quán）：浅红色。②赪（chēng）：浅红色。③纁（xūn）：浅红色。④斧、黼（fǔ）：礼服上黑白相间的斧形花纹。

6.40 邸[①]谓之柢。

【注释】

①邸：通"柢"，根柢。

6.41 雕谓之琢[①]。

【注释】

①雕、琢：加工玉石。

6.42 蓐[①]谓之兹。

【注释】

①蓐（rù）：草席。

6.43 竿谓之箷[①]。

【注释】

①箷（yí）：衣架。

6.44 箦谓之笫[①]。

【注释】

①箦（zé）、笫（zǐ）：用竹篾等编成的床垫。

6.45 革中绝[①]谓之辨[②]，革中辨谓之韏[③]。

【注释】

①绝：割断。②辨（piàn）：皮革中断。③韏（quàn）：再从皮革中间分开。

6.46 镂，锼[①]也。

【注释】

①锼（sōu）：刻镂。

6.47 卣[①]，中尊也。

【注释】

①卣（yǒu）：一种中型的青铜酒器。

释乐第七

7.1 宫[①]谓之重，商谓之敏，角谓之经，徵谓之迭，羽[②]谓之柳。

【注释】

①宫：古代五声音阶的第一音阶，又称重。②商、角、徵（zhǐ）、羽：分别为五音之一。

7.2 大瑟[①]谓之洒[②]。

【注释】

①瑟（sè）：拨弦乐器，形状像古琴，每弦一柱，无徵位。②洒：大瑟之名。

7.3 大琴[①]谓之离[②]。

【注释】

①琴：拨弦乐器，琴身狭长，木质音箱，面板外侧有十三徽，底板有二孔供出音。②离：大琴之名。

7.4 大鼓谓之鼖[①]，小者谓之应[②]。

【注释】

①鼖（fén）：八尺而两面的军用大鼓。②应（yìng）：小鼓。

7.5 大磬[①]谓之毊[②]。

【注释】

①磬（qìng）：打击乐器，如曲尺，用玉、石或金属制成，悬挂于架上。②毊（xiāo）：大磬。

7.6 大笙[①]谓之巢，小者谓之和[②]。

【注释】

①笙（shēng）：簧管乐器，由十三至十九根簧管和一根吹气管装在锅形座上构成。②和：小笙。

7.7 大篪[①]谓之沂[②]。

【注释】

①篪（chí）：古代一种竹制的管乐器。②沂（yín）：大篪。

7.8 大埙[①]谓之嘂[②]。

【注释】

①埙（xūn）：一种陶制的吹奏乐器。②嘂（jiào）：大埙。

7.9 大钟[①]谓之镛[②]，其中谓之剽[③]，小者谓之栈[④]。

【注释】

①钟：一种打击乐器，中空，用铜或铁制成，悬挂在架上，用槌敲击发音。②镛（yōng）：大钟。③剽（piáo）：中等钟。④栈（zhǎn）：小钟。

7.10　大箫[①]谓之言，小者谓之筊[②]。

【注释】

①箫：古代一种竹制管乐器，用一组长短不等的竹管按照音律编排而成，就是排箫。②筊（jiǎo）：小箫。

7.11　大管[①]谓之簥[②]，其中谓之篞[③]，小者谓之篎[④]。

【注释】

①管：古代乐器，长一尺，有六个孔。②簥（jiāo）：大管。③篞（niè）：中等管。④篎（miǎo）：小管。

7.12　大籥[①]谓之产，其中谓之仲[②]，小者谓之箹[③]。

【注释】

①籥（yuè）：管乐器，像笛子，短管，有三孔或六孔。②仲：中等籥。③箹（yuè）：小籥。

7.13　徒[①]鼓瑟谓之步，徒吹谓之和，徒歌谓之谣，徒击鼓谓之咢[②]，徒鼓钟谓之修，徒鼓磬谓之寋[③]。

【注释】

①徒：只、仅仅。②咢（è）：只击鼓不伴以其他乐器。③寋（jiǎn）：只击磬不伴以其他乐器。

7.14　所以鼓柷[①]谓之止，所以鼓敔[②]谓之籈[③]。

【注释】

①柷（zhù）：古代一种木制的方斗形打击乐器，奏乐开始时击之。②敔（yǔ）：古代一种木制的虎形打击乐器。③籈（zhēn）：击敔所用的木板。

7.15　大鼗[①]谓之麻，小者谓之料。

【注释】

①鼗（táo）：长柄摇鼓，俗称拨浪鼓。

7.16　和乐谓之节[①]。

【注释】

①节：敲击以控制音乐节奏的乐器。

释天第八

8.1　穹[①]苍，苍天也。

【注释】

①穹（qióng）苍：苍天。

8.2　春为苍天[①]，夏为昊天[②]，秋为旻天[③]，冬为上天[④]。——四时。

【注释】

①苍天：春天。②昊天：夏天。③旻（mín）天：秋天。④上天：冬天。

8.3　春为青阳[①]，夏为朱明[②]，秋为白藏[③]，冬为玄英[④]。四气和谓之玉烛[⑤]。

【注释】

①青阳：春天。②朱明：夏天。③白藏：秋天。④玄英：冬天。⑤玉烛：指四时之气和畅。

8.4　春为发生[①]，夏为长赢[②]，秋为收成[③]，冬为安宁[④]。四时和为通正[⑤]，谓之景风[⑥]。

【注释】

①发生：春天。②长赢：夏天。③收成：秋天。④安宁：冬天。⑤通正：通畅祥和。⑥景风：祥和之风。

8.5　甘雨[①]时降，万物以嘉，谓之醴泉[②]。——祥。

【注释】

①甘雨：适时好雨。②醴（lǐ）泉：本义为甜美的泉水，引申为及时之雨。③祥：祥瑞。

8.6　谷不熟为饥[①]，蔬不熟为馑[②]，果不熟为荒[③]。仍[④]饥为荐[⑤]。——灾[⑥]。

【注释】

①饥：五谷不成，收成不好。②馑：蔬菜歉收。③荒：瓜果歉收。④仍：

接连。⑤荐：连年灾荒。⑥灾：灾荒。

8.7 大岁[①]在甲曰阏逢[②]，在乙曰旃蒙[③]，在丙曰柔兆[④]，在丁曰强圉[⑤]，在戊曰著雍[⑥]，在己曰屠维[⑦]，在庚曰上章[⑧]，在辛曰重光[⑨]，在壬曰玄黓[⑩]，在癸曰昭阳[⑪]。——岁阳[⑫]。

【注释】

①大（tài）岁：古代天文学中假设的岁星，又称岁阴或太阴。②阏（yān）逢（péng）：天干中“甲”的别称，用以纪年。③旃（zhān）蒙：天干中乙的别称。④柔兆：天干中丙的别称。⑤强圉：天干中丁的别称。⑥著雍：天干中戊的别称。⑦屠维：天干中己的别称。⑧上章：天干中庚的别称。⑨重光：天干中辛的别称。⑩玄黓（yì）：天干中壬的别称。⑪昭阳：天干中癸的别称。⑫岁阳：又称“岁雄”，古代以干支纪年，十天干叫“岁阳”。

8.8 太岁在寅曰摄提格[①]，在卯曰单阏[②]，在辰曰执徐[③]，在巳曰大荒落[④]，在午曰敦牂[⑤]，在未曰协洽[⑥]，在申曰涒滩[⑦]，在酉曰作噩[⑧]，在戌曰阉茂[⑨]，在亥曰大渊献[⑩]，在子曰困敦[⑪]，在丑曰赤奋若[⑫]。

【注释】

①摄提格：古代干支纪年，寅年的别称。②单（chán）阏（yè）：古代干支纪年，卯年的别称。③执徐：古代干支纪年，辰年的别称。④大荒落：古代干支纪年，巳年的别称。⑤敦牂：古代干支纪年，午年的别称。⑥协洽：古代干支纪年，未年的别称。⑦涒（tūn）滩（tān）：古代干支纪年，申年的别称。⑧作噩：古代干支纪年，酉年的别称。⑨阉茂：古代干支纪年，戌年的别称。⑩大渊献：古代干支纪年，亥年的别称。⑪困敦：古代干支纪年，子年的别称。⑫赤奋若：古代干支纪年，丑年的别称。

8.9 载[①]，岁也。夏曰岁[②]，商曰祀[③]，周曰年，唐虞曰载[④]。——岁名[⑤]。

【注释】

①载：岁、年的意思。②岁：夏朝称年为岁。③祀：商朝称年为祀。④载：唐尧和虞舜称年为载。⑤岁名：岁的名称。

8.10 月在甲曰毕[①]，在乙曰橘[②]，在丙曰修[③]，在丁曰圉[④]，在戊曰厉[5]，在己曰则[6]，在庚曰窒[7]，在辛曰塞[8]，在壬曰终[9]，在癸曰极[10]。——月阳[11]。

【注释】

①毕：月亮在甲称为毕。②橘：月亮在乙称为橘。③修：月亮在丙称为修。④圉：月亮在丁称为圉。⑤厉：月亮在戊称为厉。⑥则：月亮在己称为则。⑦窒：月亮在庚称为窒。⑧塞：月亮在辛称为塞。⑨终：月亮在壬称为终。⑩极：月亮在癸称为极。⑪月阳：古代十天干纪月的别名。这一套月阳名称见于《史记·历书》。

8.11　正月为陬[1]，二月为如[2]，三月为寎[3]，四月为余[4]，五月为皋[5]，六月为且[6]，七月为相[7]，八月为壮[8]，九月为玄[9]，十月为阳[10]，十一月为辜[11]，十二月为涂[12]。——月名。

【注释】

①陬（zōu）：农历正月的别称。②如：农历二月的别称。③寎（bǐng）：农历三月的别称。④余：农历四月的别称。⑤皋：农历五月的别称。⑥且（jū）：农历六月的别称。⑦相（xiàng）：农历七月的别称。⑧壮：农历八月的别称。⑨玄：农历九月的别称。⑩阳：农历十月的别称。⑪辜：农历十一月的别称。⑫涂：农历十二月的别称。

8.12　南风谓之凯风[1]，东风谓之谷风[2]，北风谓之凉风[3]，西风谓之泰风[4]。

【注释】

①凯风：和暖的风，指南风。②谷风：东风，谷物生长之风。③凉风：秋风。④泰风：西风、大风。

8.13　焚轮[1]谓之颓，扶摇谓之猋[2]。风与火为庉[3]。回风[4]为飘。

【注释】

①焚轮：旋风、龙卷风，从上而下的暴风。②扶摇、猋（biāo）：飙风，自下而上的暴风。③庉（tún）：风因火猛，火因风烈。④回风：旋风。

8.14　日出而风为暴，风而雨土为霾[1]，阴而风为曀[2]。

【注释】

①霾（mái）：大风卷夹尘土。②曀（yì）：天阴而有风。

8.15　天气下，地不应曰雺[①]。地气发，天不应曰雾[②]。雾谓之晦[③]。

【注释】

①雺（méng）：天上空气下降，大地不去接应。②雾：地上空气上升，上天不去接应叫雾。③晦：有雾。

8.16　螮蝀[①]谓之雩[②]。螮蝀，虹也。蜺[③]为挈贰[④]。

【注释】

①螮（dì）蝀（dōng）：虹的别称。②雩（yù）：古代方言中虹的别称。③蜺（ní）：副虹。④挈（qiè）贰：雌虹、雌蜺的别称。

8.17　弇日[①]为蔽云。

【注释】

①弇（yǎn）日：五彩云气遮住太阳。

8.18　疾雷为霆霓[①]。

【注释】

①霆霓：暴雷、疾雷。

8.19　雨霓[①]为霄[②]雪。

【注释】

①霓（xiàn）：小雪粒、雪珠，多在下雪前和下雪时降落。②霄（xiāo）：米雪、雪珠，下雪珠。

8.20　暴雨谓之涷[①]，小雨谓之霡霂[②]，久雨谓之淫[③]，淫谓之霖[④]。济[⑤]谓之霁。——风雨。

【注释】

①涷（dōng）：暴雨。②霡（mài）霂（mù）：小雨。③淫（yín）：久雨。④霖（lín）：久雨。⑤济：止，特指雨止。

8.21　寿星[①]，角、亢[②]也。天根[③]，氐也。

【注释】

①寿星：十二星次之一。②角、亢：两个星宿名，为寿星次中。③天根：即氐宿。东方七宿中的第三宿。

8.22　天驷[①]，房也。大辰[②]，房、心、尾也。大火[③]谓之大辰。

【注释】

①天驷（sì）、房：东方七宿中的第四宿。②大辰：苍龙七宿中的房、心、尾三宿的别称。③大火：即心宿，十二星宿之一。

8.23　析木谓之津[①]，箕、斗[②]之间，汉津[③]也。

【注释】

①析木谓之津：析木星次的别称。②箕、斗：箕和斗分别为十二星宿之一。③汉津：又称天河，即银河。

8.24　星纪[①]，斗、牵牛[②]也。

【注释】

①星纪：星次名。②斗、牵牛：星宿名，二十八宿之一。

8.25　玄枵[①]，虚也。颛顼[②]之虚，虚也。北陆[③]，虚也。

【注释】

①玄枵（xiāo）：星次名，十二星次之一，与二十八宿相配为女、虚、危三宿。②颛（zhuān）顼（xū）：虚宿的别称，位在北方，为二十八宿之一。③北陆：虚宿的别称，位在北方，为二十八宿之一。

8.26　营室[①]谓之定。娵觜[②]之口，营室、东壁也。

【注释】

①营室：古指室、壁二宿，后来专指室宿。②娵（jū）觜（zī）：二十八宿的室宿和壁宿，即营室、东壁。

8.27　降娄[①]，奎、娄也。

【注释】

①降娄（lóu）：星次名，十二星次之一，与二十八宿相配为奎、娄两宿。

8.28　大梁[①]，昴[②]也。西陆[③]，昴也。

【注释】

①大梁：星次名，包括胃、昴、毕三宿。②昴（mǎo）：二十八宿之一。③西陆：昴宿的别名，在西方七宿之中。

8.29　浊[①]谓之毕。

【注释】

①浊：毕宿的别名。

8.30　咮①谓之柳。柳，鹑火②也。

【注释】

①咮（zhòu）、柳：柳宿的别称，为南方朱鸟七宿的第三宿。②鹑火：星次名。朱鸟七宿中部柳、星、张三宿称为鹑火。

8.31　北极①谓之北辰。

【注释】

①北极：北极星，也叫北辰星。

8.32　何鼓①谓之牵牛。

【注释】

①何（hè）鼓：即河鼓，又叫牵牛星。

8.33　明星①谓之启明。

【注释】

①明星：启明星。

8.34　彗星为欃枪①。

【注释】

①欃（chán）枪：彗星的别名。

8.35　奔星为彴约①。——星名。

【注释】

①彴（bó）约：流星。

8.36　春祭曰祠①，夏祭曰礿②，秋祭曰尝③，冬祭曰烝④。

【注释】

①祠：古代春天举行的祭祀。②礿（yuè）：古代夏天举行的祭祀。③尝：古代秋天举行的祭祀。④烝：古代冬天举行的祭祀。

8.37　祭天曰燔柴①，祭地曰瘗薶②。

【注释】

①燔（fán）柴：积柴焚烧牲体、玉帛以祭天。②瘗（yì）薶（mái）：把牺牲等埋入地里以祭地。

8.38　祭山曰庪县①，祭川曰浮沉②。

【注释】

①庪（guǐ）县（xuán）：埋藏或悬挂祭品以祭山。②浮沉：投祭品于水中

以祭川。

8.39　祭星曰布[1]，祭风曰磔[2]。

【注释】

①布：布散祭品于地以祭星。②磔（zhé）：分裂牲体以祭风。

8.40　“是禷[1]是祃[2]”，师祭[3]也。

【注释】

①禷（lèi）：祭祀名，古代因征战而祭天。②祃（mà）：古代在军队驻地举行的祭祀。③师祭：古代军队出兵时所行祭祀祈祷之礼。

8.41　“既伯[1]既祷[2]”，马祭[3]也。

【注释】

①伯：古代一种祭祀马神的仪式。②祷：古代一种祭祀马神的仪式。③马祭：祭祀马神。

8.42　禘[1]，大祭也。

【注释】

①禘（dì）：宗庙五年一次的大祭。

8.43　绎[1]，又祭也。周曰绎，商曰肜[2]，夏曰复胙[3]。——祭名。

【注释】

①绎（yì）：周代称正祭的次日再进行的祭祀。②肜（róng）：商代称祭祀的次日再进行的祭祀。③复胙（zuò）：夏代称祭祀的次日再进行的祭祀。

8.44　春猎为蒐[1]，夏猎为苗[2]，秋猎为狝[3]，冬猎为狩[4]。

【注释】

①蒐（sōu）：春天打猎。②苗：夏天打猎。③狝（xiǎn）：秋天打猎。④狩：冬天打猎。

8.45　宵田为獠[1]，火田为狩[2]。

【注释】

①宵田、獠（liáo）：夜间打猎。②火田、狩：以火焚烧草木而田猎。

8.46　“乃立冢土[1]，戎丑[2]攸行[3]”，起大事[4]，动大众，必先有事[5]乎社[6]而后出，谓之宜。

【注释】

①冢土：大社，祭祀土地神的大坛。②戎丑：兵众。③攸行：前往。④大事：军事行动。⑤有事：祭祀。⑥社：祭祀土地神的地方。

8.47　“振旅①阗阗②”，出为治兵③，尚威武④也。入为振旅，反尊卑⑤也。——讲武。

【注释】

①振旅：整顿军队。②阗阗（tián）：众多、旺盛的样子。③治兵：练兵。④尚威武：崇尚威武，这里指练兵时，少壮走在前面。⑤反尊卑：返回时，尊者在前，年轻人在后，恢复尊卑有序的礼仪。

8.48　素锦绸杠①，纁②帛縿③，素升龙④于縿，练⑤旒⑥九，饰以组⑦，维以缕⑧。

【注释】

①绸杠（gāng）：缠裹旗杆。②纁（xūn）：浅绛色。③縿（shān）：旌旗的正幅，为旒所着之处。④素升龙：白色头向上的龙。⑤练：白色的熟绢。⑥旒（liú）：旌旗悬垂的饰物。⑦组：丝做的宽带。⑧缕：线。

8.49　缁①广充幅长寻②曰旐③，继旐曰旆④。

【注释】

①缁（zī）：黑色的丝带。②寻：八尺。③旐（zhào）：古代画有龟蛇的旗子。④旆（pèi）：旐末状如燕尾的垂旒。

8.50　注旄①首曰旌②。

【注释】

①注旄：附着牦牛尾。②旌：古代用牦牛尾或五彩羽毛装饰杆头的旗子。

8.51　有铃曰旂①。

【注释】

①旂（qí）：古代画有两龙并在杆头悬铃的旗子。

8.52　错革鸟①曰旟②。

【注释】

①错革鸟：画有鹰隼一类的鸟。②旟（yú）：古代画有鸟隼图像的军旗。

8.53　因章[1]曰旃[2]。——旌旗。

【注释】

①因章：依据花纹色彩。②旃（zhān）：赤色、无装饰、曲柄的旗。

释地第九

9.1　两河[1]间曰冀州。

【注释】

①两河：战国到秦国时黄河流至中下游分为两支，即东河、西河，当时合称“两河”。

9.2　河南[1]曰豫州。

【注释】

①河南：黄河以南的地方。

9.3　河西[1]曰雍州。

【注释】

①河西：黄河以西的地方。

9.4　汉南[1]曰荆州。

【注释】

①汉南：汉水之南至衡山之间的地方。

9.5　江南[1]曰扬州。

【注释】

①江南：长江以南至东海之间的地方。

9.6　济河[1]间曰兖州。

【注释】

①济河：自黄河以东至古济水之间的地区。

9.7　济东[1]曰徐州。

【注释】

①济东：从古济水以东至东海之间的地区。

9.8　燕[1]曰幽州。

【注释】

①燕：指战国燕地所属的地区。

9.9　齐[1]曰营州。——九州[2]。

【注释】

①齐：指战国时期齐国所属地区。②九州：古代中国分为九州，但说法不一。《尚书·禹贡》中说冀、兖、青、徐、扬、荆、豫、梁、雍为九州。

9.10　鲁有大野[1]。

【注释】

①鲁有大野：今山东巨野县东北，是春秋战国时期鲁国属地，这一地区的大湖泽称为大野。

9.11　晋有大陆[1]。

【注释】

①晋有大陆：今陕西大部、河北西南部、河南北部和陕西一角是春秋时晋国属地，这里的大湖泽称为大陆。

9.12　秦有杨陓[1]。

【注释】

①杨陓（yū）：古泽名，具体位置已不可考。

9.13　宋有孟诸[1]。

【注释】

①宋有孟诸：今河南商丘东北、虞城西北，是春秋时宋国属地，那里的大湖泽称为孟诸。

9.14　楚有云梦[1]。

【注释】

①云梦：古泽名。其属地历来说法不一，大致为今天湖南、湖北境内。

9.15　吴越之间有具区[1]。

【注释】

①具区：古泽名。即今太湖。

9.16　齐有海隅[1]。

【注释】

①齐有海隅：指战国时期齐国所属地区有辽阔的海滨，以后泛指沿海地区。

9.17　燕有昭余祁①。

【注释】

①昭余祁：古泽名。在今天山西祁县西南、介休东北，为战国燕国属地。

9.18　郑有圃田①。

【注释】

①圃田：古泽名。在今河南中牟西。

9.19　周有焦护①。——十薮②。

【注释】

①焦护：古泽名。指周代岐山、镐京地区。②十薮（sǒu）：泛指湖泽，亦指水少而草木丰茂的沼泽。

9.20　东陵①，阠②。南陵，息慎。西陵，威夷。中陵，朱滕。北陵，西隃③，雁门是也。

【注释】

①陵：大土山。②阠（xìn）：即东陵。③西隃（shù）：即雁门山。

9.21　陵莫大于加陵①。

【注释】

①加陵：有的写作“柯陵”。

9.22　梁莫大于湨梁①。

【注释】

①湨（jú）梁：湨水边的大堤。梁，挡水的大堤。

9.23　坟莫大于河坟①。——八陵。

【注释】

①河坟：黄河大堤。坟，水边高地、堤岸。

9.24　东方之美者，有医无闾①之珣玗琪②焉。

【注释】

①医无闾：山名。②珣（xún）玗（yú）琪：夷玉，一种美玉。

9.25　东南之美者，有会①稽之竹箭焉。

【注释】

①会（kuài）稽：山名，在浙江绍兴市南。

9.26　南方之美者，有梁山①之犀象②焉。

【注释】

①梁山：指湖南衡山。②犀象：犀牛皮和象牙。

9.27　西南之美者，有华山①之金石②焉。

【注释】

①华（huà）山：在陕西华阴南。②金石：黄金美石。

9.28　西方之美者，有霍山①之多珠玉②焉。

【注释】

①霍山：在今山西霍州市东南。②珠玉：美玉。

9.29　西北之美者，有昆仑虚①之璆琳琅玕②焉。

【注释】

①昆仑虚：昆仑山。②璆（qiú）琳琅（láng）玕（gān）：各种精美的玉石。

9.30　北方之美者，有幽都①之筋角②焉。

【注释】

①幽都：山名。②筋角：兽畜的筋和角。

9.31　东北之美者，有庤山①之文皮②焉。

【注释】

①庤（chì）山：在今山东荣城南。②文皮：有文彩的兽皮。

9.32　中有岱岳①，与其五谷鱼盐生焉。——九府。

【注释】

①岱岳：泰山。

9.33　东方有比目鱼焉，不比不行①，其名谓之鲽②。

【注释】

①不比不行：不两鱼合并就不能行。比，合并。②鲽（dié）：即比目鱼。

9.34　南方有比翼鸟焉，不比不飞，其名谓之鹣鹣①。

【注释】

①鹣鹣（jiān）：即比翼鸟。

9.35　西方有比肩兽焉，与邛邛[1]岠虚比，为邛邛岠虚啮[2]甘草，即有难，邛邛岠虚负而走，其名谓之蟨[3]。

【注释】

①邛邛（qióng）岠（jù）虚：兽名。传说此兽前足长，后足短，善跑而不善觅食。②啮（niè）：咬。③蟨（jué）：兽名。传说此兽前足短，后足长，善觅食而不善跑。

9.36　北方有比肩民[1]焉，迭[2]食而迭望。

【注释】

①比肩民：传说中半身之人，只有一只眼、一个胳膊，一只脚，需两个人配合才能生活。②迭：更替、轮流。

9.37　中有枳首蛇[1]焉。

【注释】

①枳（zhǐ）首蛇：两头蛇。

9.38　此四方中国之异气[1]也。——五方。

【注释】

①异气：异常之物。

9.39　邑[1]外谓之郊，郊[2]外谓之牧，牧[3]外谓之野[4]，野外谓之林[5]，林外谓之坰[6]。

【注释】

①邑（yì）：京城、国都，也指村落、城镇。②郊：邑的外部叫郊，距离国都六十里。③牧：郊外之地，距离国都七十里。④野：牧外之地，距离国都八十里。⑤林：野外之地，距离国都九十里。⑥坰（jiōng）：林外之地，距离国都一百里。

9.40　下湿曰隰[1]。大野曰平，广平曰原，高平曰陆，大陆曰阜[2]，大阜曰陵，大陵曰阿[3]。

【注释】

①下湿、隰（xí）：低湿的地方。②大陆、阜：高而平的地方。③大陵、阿（ē）：大的丘陵。

9.41　可食者[1]曰原。陂者曰阪[2]。下者曰隰。

【注释】

①可食者：可以种庄稼的地方。②陂（bēi）、阪（bǎn）：山坡、斜坡。

9.42　田一岁曰菑[①]，二岁曰新田，三岁曰畬[②]。——野[③]。

【注释】

①菑（zī）：初耕的田地。②畬（yú）：耕种过三年的田地。③野：郊野。

9.43　东至于泰远[①]，西至于邠国[②]，南至于濮铅[③]，北至于祝栗[④]，谓之四极。

【注释】

①泰远：又写作“太远”，古代传说中的东方极远之国。②邠（bīn）国：古代传说中的西方极远之国。③濮铅：古代传说中的南方极远之国。④祝栗：古代传说中的北方极远之国。

9.44　觚竹[①]、北户、西王母、日下，谓之四荒[②]。

【注释】

①觚（gū）竹、北户、西王母、日下：古国名。②四荒：四方荒远之地。

9.45　九夷[①]、八狄、七戎、六蛮，谓之四海[②]。

【注释】

①九夷、八狄、七戎、六蛮：泛指四方不同的民族。②四海：指四方不同民族居住的地域。

9.46　岠[①]齐州以南戴[②]日为丹穴[③]，北戴斗[④]极[⑤]为空桐[⑥]，东至日所出为大平[⑦]，西至日所入为大蒙[⑧]。

【注释】

①岠：通“距”，距离。②戴：正对着。戴日，正对着太阳。③丹穴：传说中的地名。④斗：北斗星。⑤极：北极星。⑥空桐：又做空同，传说中北方极远的地方。⑦大平：向东极远到太阳出来的地方。大，又做“太”。⑧大蒙：又做“太蒙”，向西极远到日落的地方。

9.47　大平之人仁[①]，丹穴之人智[②]，大蒙之人信[③]，空桐之人武[④]。——四极。

【注释】

①大平之人仁：居住在大平之地的人仁义。②丹穴之人智：居住在丹穴

之地的人聪明。③大蒙之人信：居住在大蒙之地的人讲信用。④空桐之人武：居住在空桐之地的人勇武。

释丘第十

10.1 丘①，一成为敦丘②，再成为陶丘③，再成锐上为融丘④，三成为昆仑丘⑤。

【注释】

①丘：自然形成的小土山。②敦丘：堆积一层的小丘。③陶丘：堆积两层的小丘。④融丘：堆积两层且尖顶的小丘。⑤昆仑丘：堆积三层的小丘。

10.2 如乘者，乘丘①。如陼者，陼丘②。

【注释】

①乘丘：形同马车的土丘。②陼（zhǔ）丘：像水中小洲的小土山。

10.3 水潦所止，泥丘①。

【注释】

①泥丘：顶部有凹洼积水的山丘。

10.4 方丘①，胡丘。

【注释】

①方丘：四方形的小山丘。

10.5 绝高为之①，京②。非人为之，丘③。

【注释】

①为之：称为。②京：人工造成的大丘。③丘：不是人工造成，自然形成的叫丘。

10.6 水潦所还，埒丘①。

【注释】

①埒（liè）丘：四周被水环绕、有边界的高地。

10.7 上正，章丘①。

【注释】

①章丘：顶上平正的土丘。

10.8　泽中有丘，都丘[1]。

【注释】

①都丘：水泽中的高地。

10.9　当途，梧丘[1]。

【注释】

①梧丘：道路中的土山。

10.10　途出其右而还之，画丘[1]。途出其前，戴丘[2]。途出其后，昌丘[3]。

【注释】

①画丘：被道路环绕的山丘。②戴丘：被道路绕过南侧的山丘。③昌丘：被道路绕过北侧的山丘。

10.11　水出其前，渻丘[1]。水出其后，沮丘[2]。水出其右，正丘[3]。水出其左，营丘[4]。

【注释】

①渻（shěng）丘：有河水流过山丘的南侧。②沮（jǔ）丘：有河水流过山丘的北侧。③正丘：有河水流过山丘的东侧。④营丘：有河水流过山丘的西侧。

10.12　如覆敦[1]者，敦丘。

【注释】

①敦（duì）：古代一种像碗的盛器。形状像扣覆的大碗之状的叫敦丘。

10.13　逦迤[1]，沙丘。

【注释】

①逦（lǐ）迤（yǐ）：曲折绵延的样子。

10.14　左高，咸丘[1]。右高，临丘[2]。前高，旄丘[3]。后高，陵丘[4]。偏高，阿丘[5]。

【注释】

①咸丘：左高右低的高地。②临丘：右高左低的高地。③旄丘：前高后低的高地。④陵丘：后高前低的高地。⑤阿丘：四边有一边高的高地。

10.15　宛中，宛丘[1]。

【注释】

①宛丘：中央隆起比较高的丘。

10.16 丘背有丘，为负丘[①]。

【注释】

①负丘：两丘相连前低后高，好像丘背后还有一个丘。

10.17 左泽，定丘[①]。右陵，泰丘[②]。

【注释】

①定丘：丘的东面有水泽的叫定丘。②泰丘：丘的西面有高地的叫泰丘。

10.18 如亩，亩丘[①]。如陵，陵丘[②]。

【注释】

①亩丘：像田垄一样的丘。②陵丘：大丘、大土山。

10.19 丘上有丘为宛丘[①]。

【注释】

①宛丘：中央隆起，好像丘上还有一个丘。

10.20 陈有宛丘[①]，晋有潜丘[②]，淮南有州黎丘[③]。

【注释】

①宛丘：古丘名。在今河南淮阳。②潜丘：古地名。在今山西太原南。③州黎丘：古丘名。在今安徽寿县西南。

10.21 天下有名丘五[①]，其三在河南[②]，其二在河北[③]。——丘。

【注释】

①天下有名丘五：天下有五座名丘，即黎丘、宛丘、营丘、潜丘、敦丘。②其三在河南：黎丘、宛丘、营丘在河南。③其二在河北：潜丘、敦丘在河北。

10.22 望厓[①]洒[②]而高，岸[③]。

【注释】

①厓：水边。②洒（xiǎn）：深峻。③岸：其下水深、水边高峻之地。

10.23 夷[①]上洒下，不漘[②]。

【注释】

①夷：平。②不漘（chún）：上面平坦下面陡峭的岸边。不，语助词。

10.24 隩①，隈②。厓内为隩，外为隈。

【注释】

①隩（yù）：指水边深曲的地方，水岸向内弯曲叫隩。②隈（wēi）：山水弯曲隐蔽处，水岸向外弯曲叫隈。

10.25 毕①，堂墙②。

【注释】

①毕：水边挡水的堤。②堂墙：堂，通“唐”，堤。墙，指堤靠水的一边。

10.26 重厓①，岸。岸上，浒②。

【注释】

①重厓：高崖。②浒：岸边、水边。

10.27 坟①，大防②。

【注释】

①坟：堤岸、水边高地。②大防：大堤。

10.28 涘①为厓。

【注释】

①涘（sì）：水边。

10.29 穷渎①，汜②。谷③者，溦④。——厓岸。

【注释】

①穷渎：水流不通的涯岸。②汜（sì）：水流不通的涯岸。③谷：谷前可能掉了“通”，指两山有水流通的地方。④溦（méi）：两山间流水的夹道。

释山第十一

11.1 河南华①，河西岳②，河东岱③，河北恒④，江南衡⑤。

【注释】

①华（huà）：华山，又称西岳，在陕西华阴南。②岳：岳山，又称吴岳，在今陕西。③岱：岱宗，又称泰山、东岳，在山东泰安市。④恒：恒山，又称北岳，在今河北曲阳西北。⑤衡：衡山，又称南岳，在今湖南中部。

11.2　山三袭①，陟②。再成，英③。一成，坯④。

【注释】

①袭：重。②陟（zhì）：重峦叠嶂的山陵，像三重山积累。③英：两山相叠嶂。④坯：通"伓"，重叠的山岭。

11.3　山大而高，崧①。山小而高，岑②。锐而高，峤③。

【注释】

①崧（sōng）：同"嵩"，山大而高。②岑（cén）：小而高的山。③峤（jiào）：高耸尖峭的山。

11.4　卑而大，扈①。

【注释】

①扈（hù）：不高而广大的山。

11.5　小而众，岿①。

【注释】

①岿（kuī）：小山丛聚罗列。

11.6　小山岌大山①，峘②。

【注释】

①小山岌（jí）大山：小山高于大山。②峘（huán）：高过大山的小山。

11.7　属者，峄①。独者，蜀②。

【注释】

①峄（yì）：山相连接。②蜀：独，单独的山。

11.8　上正，章①。宛中②，隆。

【注释】

①章：山顶平正。②宛中：四周高中间低。

11.9　山脊，冈①。未及上，翠微②。

【注释】

①冈：山脊。②翠微：指青翠掩映的山腰处。

11.10　山顶，冢①。崒②者，厜㕒③。

【注释】

①冢（zhǒng）：山顶。②崒（zú）：高峻。③厜（zuī）㕒（wēi）：即"崔嵬"，山峰高峻。

11.11 山如堂[①]者，密[②]。如防者，盛[③]。

【注释】

①堂：坛，人工筑成的方形土台。②密：像土坛那样四方而高的山。③盛：像堤防似的狭长而平的山。

11.12 峦，山堕[①]。

【注释】

①堕：山形狭而长。

11.13 重甗[①]，隒[②]。

【注释】

①甗（yǎn）：古代一种炊具，用青铜或陶为之，分两层，上可蒸，下可煮，外形上大下小。②隒（yǎn）：山峰重叠好像重叠的甗。

11.14 左右有岸，厒[①]。

【注释】

①厒（qiè）：两边有水流而成为岸的山。

11.15 大山宫[①]小山，霍[②]。小山别[③]大山，鲜[④]。

【注释】

①宫：围绕。②霍：小山在中间，大山在外围着小山，这种山形叫霍。③别：不相连。④鲜：不与大山相连的小山叫鲜。

11.16 山绝，陉[①]。

【注释】

①陉（xíng）：山脉中断的地方。

11.17 多小石，磝[①]。多大石，岩[②]。

【注释】

①磝（áo）：山上多小石头的样子。②岩（què）：有许多大石头的山。

11.18 多草木，岵[①]。无草木，峐[②]。

【注释】

①岵（hù）：多草木的山。②峐（gāi）：没有草木的山。

11.19 山上有水，埒[①]。夏有水，冬无水，泶[②]。

【注释】

①埒（liè）：山顶上有水流的状态。②泶（xué）：山上夏季有水而冬季无

水的状态。

11.20　山豄[1]无所通，溪。

【注释】

①豄（dú）：同“渎”，沟渠、沟渎。

11.21　石戴土谓之崔嵬[1]，土戴石为砠[2]。

【注释】

①崔嵬：有土的石头山。②砠（jū）：有石头的土山。

11.22　山夹水，涧[1]。陵夹水，澞[2]。

【注释】

①涧：两山间的水沟。②澞（yú）：丘陵间的水沟。

11.23　山有穴为岫[1]。

【注释】

①岫（xiù）：有洞穴的山。

11.24　山西曰夕阳[1]，山东曰朝阳[2]。

【注释】

①夕阳：山的西面。②朝阳：山的东面。

11.25　泰山为东岳，华山为西岳，霍山为南岳，恒山为北岳，嵩高为中岳[1]。

【注释】

①泰山、华山、霍山、恒山、嵩高：五岳。

11.26　梁山[1]，晋望[2]也。

【注释】

①梁山：在今陕西西韩城南。②晋望：晋国望祭的山。望，古代祭祀山川的专名。

释水第十二

12.1　泉一见[1]一否为瀸[2]。

【注释】

①见（xiàn）：显现、显露。②瀸（jiān）：泉水时有时无。

12.2　井一有水一无水为瀱汋①。

【注释】

①瀱（jì）汋（zhuó）：井水时有时竭。

12.3　滥①泉，正出。正出，涌出也。沃泉②，县出。县③出，下出也。氿泉④，穴出。穴出，仄出也。

【注释】

①滥（jiàn）泉：涌出的水泉。②沃泉：由上向下流的泉水。③县（xuán）：悬。④氿（guǐ）泉：从侧旁流出的泉水。

12.4　湀辟①，流川。过辨，回川②。

【注释】

①湀（guǐ）辟：直通流淌的水流。②过辨、回川：回旋流淌的水流。

12.5　灉①，反入。

【注释】

①灉（yōng）：自黄河主道流出又流回主道的水。

12.6　潬①，沙出。

【注释】

①潬（tān）：水中的沙滩。

12.7　汧①，出不流。

【注释】

①汧（qiān）：水泉流出而停积为沼泽的地方。

12.8　归异，出同流，肥①。

【注释】

①肥：归向不同而出自同一源头的水流。

12.9　瀵①，大出尾下。

【注释】

①瀵（fèn）：从地下深处喷涌而出的泉水。

12.10　水醮①曰厬②。

【注释】

①醮（jiào）：尽、完。②厬（guǐ）：枯竭。

12.11　水自河出为灉[1]，济为濋[2]，汶为澜[3]，洛为波[4]，汉为潜，淮为浒[5]，江为沱[6]，过[7]为洵[8]，颍为沙[9]，汝为濆[10]。

【注释】

①灉（yōng）：古汴水流经河南商丘虞城一段。②濋（chǔ）：济水的支流。③澜（chǎn）：从汶水中流出的支流。④波：从洛水中流出的支流。⑤浒：从淮水中流出的支流。⑥沱：从长江中流出的支流。⑦过（guō）：过水，在今山西太原境内。⑧洵：从过水中流出的支流。⑨沙：从颍水中流出的支流。⑩濆（fén）：从汝水中流出的支流。

12.12　水决之泽为汧[1]，决复入为汜[2]。

【注释】

①汧（qiān）：疏导水道流到河泽的水。②汜（sì）：由干流分岔流出又流回到干流的水。

12.13　"河水清且澜[1]漪"，大波为澜，小波为沦[2]，直波为径[3]。

【注释】

①澜（lán）：大波浪。②沦：水中的小波纹。③径：水中的直波纹。

12.14　江有沱[1]，河有灉[2]，汝有濆[3]。

【注释】

①沱：长江有支流叫沱。②灉：黄河有支流叫灉。③濆：汝水有支流叫濆。

12.15　浒[1]，水厓。

【注释】

①浒：水边之地。

12.16　水草交为湄[1]。

【注释】

①湄（méi）：水和草相接的地方。

12.17　"济有深涉，深则厉，浅则揭[1]。"揭者，揭衣也。以衣涉水为厉[2]。繇膝以下为揭，繇膝以上为涉[3]，繇[4]带以上为厉。

【注释】

①揭（qì）：提起衣服从膝盖以下深度的水流中步行渡过叫揭。②厉：穿着衣服从腰带以下深度的水流中步行渡过叫厉。③涉：从膝盖以上深度的水中渡过称为涉。④繇（yóu）：通“由”。

12.18 潜行为泳[1]。

【注释】

①泳：潜游在水中。

12.19 “泛泛杨舟，绋[1]缡维之”。“绋，䌰[2]也。缡[3]，緌[4]也。”

【注释】

①绋（fú）：大粗绳索。②䌰（lù）：粗绳索。③缡（lí）：系舟的缆绳。④緌（ruí）：缆绳。

12.20 天子造舟[1]，诸侯维舟[2]，大夫方舟[3]，士特舟[4]，庶人乘泭[5]。

【注释】

①造舟：把船并列铺上木板做桥，即浮桥。②维舟：古代诸侯所乘之船，四船维连。③方舟：两船相并。④特舟：单只船。⑤乘泭（fú）：竹筏、木筏。

12.21 水注川曰溪[1]，注溪曰谷[2]，注谷曰沟，注沟[3]曰浍[4]，注浍曰渎[5]。

【注释】

①溪：山间小沟，注入大河中的小支流。②谷：两山间的流水道，流入小溪中的水。③沟：水流冲刷的水道，流入谷中的水。④浍（kuài）：田间排水的道，流入沟中的水。⑤渎：水渠、沟渠，流入浍中的水。

12.22 逆流而上曰溯[1]洄，顺流而下曰溯游[2]。

【注释】

①溯（sù）洄：逆流而上、逆流之水。②溯游：顺流而下。

12.23 正[1]绝流曰乱[2]。

【注释】

①正：直。②乱：横渡。

12.24 江[1]、河[2]、淮[3]、济[4]为四渎[5]。四渎者，发源注海者也。——水泉。

【注释】

①江：长江。②河：黄河。③淮：淮河。④济：济河。⑤四渎：以上四条河的并称，这四条河从发源地一直流入大海。

12.25 水中可居者曰洲[1]，小洲曰陼[2]，小陼曰沚[3]，小沚曰坻[4]。人所为为潏[5]。——水中。

【注释】

①洲：水中可以居留的陆地。②陼（zhǔ）：水中小块的比洲还小的陆地。③沚（zhǐ）：水中小块的比陼还小的陆地。④坻（chí）：水中小块的比沚还小的陆地。⑤潏（shù）：指堤堰、鱼梁等人工建造的水中土石工程。

12.26 河出昆仑虚[1]，色白。所渠并千七百[2]，一川色黄[3]。百里一小曲[4]，千里一曲一直[5]。——河曲。

【注释】

①河出昆仑虚：黄河从昆仑山基流下。虚，"墟"，山基。②所渠并千七百：容纳支流一千七百条。③一川色黄：整条河都变成黄色了。④百里一小曲：黄河水道百里有一个小弯。⑤千里一曲一直：黄河千里有一个大曲折，然后改道直流。

12.27 徒骇[1]，太史[2]，马颊[3]，覆鬴[4]，胡苏[5]，简[6]，絜[7]，钩盘[8]，鬲津[9]。——九河。从《释地》已下至九河皆禹所名也。

【注释】

①徒骇：古代黄河支流之一，流经今河北省泊头境。②太史：古代黄河支流之一，今所在不详。③马颊：古代黄河支流之一，今所在不详。④覆鬴（fǔ）：古代黄河支流之一，今所在不详。⑤胡苏：古代黄河支流之一，《汉书·地理志》卷二十八说在渤海郡东光有胡苏亭。⑥简：古代黄河支流之一，今所在不详。⑦絜：古代黄河支流之一，今所在不详。⑧钩盘：古代黄河支流之一，已经被填埋了，故道在今河北东光之南，山东德州之北。⑨鬲津：古代黄河支流之一，故道在今山东省平原县西北，东流入海。

释草第十三

13.1　雚[①]，山韭。

【注释】

①雚（yù）：长在山中的野韭菜。

13.2　茖[①]，山葱。

【注释】

①茖（gé）：长在山中的野葱。

13.3　葝[①]，山䪥[②]。

【注释】

①葝（qíng）：长在山中的野薤。②䪥（xiè）：同“薤”，又称藠（jiào）头，叶丛生，细长中空，可做蔬菜。

13.4　蒚[①]，山蒜。

【注释】

①蒚（lì）：长在山中的野蒜。

13.5　薜，山蕲[①]。

【注释】

①薜（bò）、山蕲（qín）：药草，当归的别名。

13.6　椴，木槿。榇[①]，木槿。

【注释】

①椴（duàn）、木槿（jǐn）、榇（qìn）：木槿的异名。

13.7　术[①]，山蓟。杨[②]，枹蓟。

【注释】

①术（zhú）：草名，又名山蓟，多年生草本植物，有白术、赤术等。②杨：又名枹蓟，生长在平地，像山蓟那样肥大，就是今天的苍术。

13.8　葥，王蔧[①]。

【注释】

①葥（jiàn）、王蔧（huì）：藜科，一年生高大草本植物，果实称为地肤

子，可入中药。

13.9　菉，王刍[1]。

【注释】

①菉（lù）、王刍（chú）：一年生草本植物，高一二尺，叶子呈卵状披针形，生长在草坡或阴湿之地。

13.10　拜，蔏藋[1]。

【注释】

①拜、蔏（shāng）藋（diào）：植物名，又名灰菜。

13.11　蘩，皤蒿[1]。蒿，菣[2]。蔚，牡菣[3]。

【注释】

①蘩（fán），皤（pó）蒿：白蒿，多年生草本植物。②蒿，菣（qìn）：青蒿。③蔚、牡菣：杜蒿。

13.12　啮[1]，雕蓬。荐[2]，黍蓬。

【注释】

①啮（niè）、雕蓬：蓬草的一种，又称茭白，子实叫雕蓬，可食。②荐、黍蓬：草名，一种可供编席的野草，又称野茭白，不能结果实，只能用来编席。

13.13　蔨，鼠莞[1]。

【注释】

①蔨（bǐ）、鼠莞（guān）：龙须草类，又名水葱，龙须草，可以编席子。

13.14　葝[1]，鼠尾。

【注释】

①葝（qíng）：鼠尾草，一年生草本植物，初秋开淡紫色的花，花和茎叶可以染皂，还可入药。

13.15　菥蓂[1]，大荠。

【注释】

①菥（xī）蓂（mì）：一种大荠菜，茎梗上有毛，种子或全草都可以入药，嫩苗可作为野菜。

13.16　荼[1]，虎杖。

【注释】

①荼（tú）：又称虎杖、花斑竹根，多年生草本植物。

13.17 孟[1]，狼尾。

【注释】

①孟：狼尾草，茎和叶可作为造纸原料，还可用来织袋子，编草鞋。

13.18 瓠栖[1]，瓣。

【注释】

①瓠（hù）栖（qī）：瓠瓜的子，瓠，即葫芦。

13.19 茹藘，茅蒐[1]。

【注释】

①茹藘（lú）、茅蒐（sōu）：即茜草，其根可作为绛红色的染料。

13.20 果蠃[1]之实，栝楼。

【注释】

①果蠃（luǒ）：多年生草本植物，茎上有卷须，以攀援他物，果实卵圆形，橙黄色。

13.21 荼[1]，苦菜。

【注释】

①荼（tú）：苦菜，菊科植物，茎空，有白汁，茎叶嫩时均可食用，略带苦味。

13.22 萑，蓷[1]。

【注释】

①萑（zhuī）、蓷（tuī）：即益母草，一年或二年生草本植物，全草或子可以入药。

13.23 虉，绶[1]。

【注释】

①虉（yì）、绶：草名，古称绶草。

13.24 粢，稷[1]。众，秫。

【注释】

①粢（zī）、稷（jì）：即粟，又称谷子，子实去壳称为小米。

13.25 戎叔谓之荏菽[1]。

【注释】

①戎叔、荏（rěn）菽：大豆。

13.26　卉[1]，草。

【注释】

①卉：草的总称。

13.27　菼[1]，雀弁。

【注释】

①菼（yǎn）、雀弁：草名，因其花色赤而微黑，似雀头，所以叫雀弁。

13.28　蘥，雀麦[1]。

【注释】

①蘥（yuè），雀麦：形似燕麦，叶稍长，可做牧草，谷粒可做饲料。

13.29　蘾，乌蓲[1]。

【注释】

①蘾（huài）、乌蓲（sūn）：草名，茎歧出，花生叶间，生长在水石旁边。

13.30　蘞，菟荄[1]。

【注释】

①蘞（liàn），菟（tù）荄（gāi）：藤本植物，根呈卵形块状，数个相聚，可入药。

13.31　蘩，菟奚[1]。

【注释】

①蘩、菟奚（xí）：即款冬，多年生草本植物，严冬开花，叶似葵而大，花黄色，花蕾和叶可入药。

13.32　黄，菟瓜[1]。

【注释】

①黄（yín），菟瓜：一种像土瓜的植物。

13.33　茢薽[1]，豕首。

【注释】

①茢（liè）薽（zhēn）：即天名精，多年生草本植物，根、叶、果实均可入药。

13.34　荓[1]，马帚。

【注释】

①荓（píng）：俗名铁扫帚，多年生草本植物，根可制作扫帚。

13.35 薉[①]，怀羊。

【注释】

①薉（huì）：怀羊草，一种香草。

13.36 茭，牛蕲[①]。

【注释】

①茭（jiāo），牛蕲（qí）：野菜名，与芹菜相似，嫩的时候可以食，也叫野茴香。

13.37 葖，芦萉[①]。

【注释】

①葖（tū），芦萉（fú）：萝卜。

13.38 菹，灌。茵，芝[①]。

【注释】

①菹（zhí）灌，茵（xiú）芝：即木灵芝。

13.39 笋[①]，竹萌。簜[②]，竹。

【注释】

①笋（sǔn）：竹子的嫩芽。②簜（dàng）：大竹。

13.40 莪[①]，萝。

【注释】

①莪（é）：莪蒿，也叫萝、萝蒿，俗称抱娘蒿，多年生草本植物，嫩的茎叶可作蔬菜。

13.41 苨，菧苨[①]。

【注释】

①苨（nǐ），菧（dǐ）苨：药草名，多年生草本植物，根可入药，即甜桔梗。

13.42 绖[①]，履。

【注释】

①绖（dié）：意义不详。

13.43 莕[①]，接余，其叶苻[②]。

【注释】

①莕（xìng）：荇菜，又叫接余，多年生草本植物，嫩叶可食。②苻（fǔ）：荇菜的叶子。

13.44　白华，野菅[1]。

【注释】

①白华、野菅（jiān）：一种似茅的草本植物，开白色的花，故称白华。

13.45　薜[1]，白蕲。

【注释】

①薜（bò）：当归的别名。

13.46　菲，芴[1]。

【注释】

①菲（fěi）、芴（wù）：土瓜，一年生草本植物，可做蔬菜。

13.47　葍，藑[1]。

【注释】

①葍（fú）、藑（fù）：多年生蔓草，可蒸着吃。

13.48　荧，委萎[1]。

【注释】

①荧（jiǒng）：即萎蕤，药草名，叶子狭长，表面白色，里面青色，根可以吃。

13.49　葋，艼荧[1]。

【注释】

①葋（qú）、艼（tīng）荧：草名，一种似苏，可以用来毒鱼的草。

13.50　竹，萹蓄[1]。

【注释】

①萹（biān）蓄：草名，又名萹竹，一年生草本植物，多生长在道旁，叶狭长像竹。

13.51　葴，寒浆[1]。

【注释】

①葴（zhēn）、寒浆：即酸浆草，多年生草本植物，根茎花实都可入药。

13.52　薢茩，芵茪[1]。

【注释】

①薢（xiè）茩（gòu）、芵（jué）茪（guāng）：草芵明，一年生草本植物，豆科。

13.53　莁荑，茮蔷[1]。

【注释】

①莁（wú）荑（yí），茮（shā）蔷（qiáng）：落叶小乔木或灌木状，即无姑。

13.54　瓞，瓝[1]。其绍[2]瓞。

【注释】

①瓞（dié）、瓝（bó）：小瓜。②绍：继。

13.55　芍，凫茈[1]。

【注释】

①芍（xiào）、凫茈（cí）：即荸荠，俗称马蹄。

13.56　蔡，薡董[1]。

【注释】

①蔡（lèi）、薡（dǐng）董（dǒng）：蒲草的一种，即长苞香蒲，多年生草本植物，生长在水边或池沼，可编鞋、制索。

13.57　蕛，苵[1]。

【注释】

①蕛（tí）、苵（diē）：一种形似稗的杂草，实如小米。

13.58　钩，芺[1]。

【注释】

①芺（ǎo）：蓟草类，又名苦芺，嫩的时候可以吃。

13.59　䪥[1]，鸿荟。

【注释】

①䪥（xiè）：即藠头，又名鸿荟，山薤，叶子似韭菜。

13.60　苏，桂荏[1]。

【注释】

①桂荏（rěn）：即紫苏，一年生草本植物，茎方形，花淡紫色，种子可榨油，嫩叶可以吃。

13.61　蔷[1]，虞蓼。

【注释】

①蔷（sè）：蓼科植物的一种，生长在水泽之中。

13.62　蓧，蓨[1]。

【注释】

①蓧（tiáo）、蓨（tiáo）：即羊蹄草，多年生草本植物，根可入药。

13.63　虋[1]，赤苗。芑[2]，白苗。秬[3]，黑黍。秠[4]，一稃[5]二米。

【注释】

①虋（mén）：赤粱粟，谷的良种。②芑（qǐ）：白粱粟，茎白色。③秬（jù）：黑黍，良谷。④秠（pī）：黑黍的一种，每个壳中有两颗米。⑤稃（fū）：谷壳。

13.64　稌[1]，稻。

【注释】

①稌（tú）：稻。

13.65　葍，藑茅[1]。

【注释】

①藑（qióng）茅：多年生蔓草，可蒸食，因对农作物有害，又称恶菜。

13.66　台[1]，夫须。

【注释】

①台：莎草，可制蓑笠。

13.67　蹇，蕳[1]。

【注释】

①蹇（jiǎn）、蕳（fá）：意义不详。

13.68　莔[1]，贝母。

【注释】

①莔（méng）：贝母，多年生草本植物，叶长似韭，可入药。

13.69　荍，蚍衃[1]。

【注释】

①荍（qiáo）、蚍（pí）衃（fú）：锦葵。

13.70　艾[1]，冰台。

【注释】

①艾：艾蒿，多年生草本植物，茎叶可入药。

13.71　蕇[①]，亭历。

【注释】

①蕇（diǎn）：俗称麦里蒿，一年或二年生草本植物，种子可入药。

13.72　苻[①]，鬼目。

【注释】

①苻（fú）：鬼目草，一种茎似葛的蔓草。

13.73　薜[①]，庾草。

【注释】

①薜（bì）：一种藤蔓植物，蔓延在墙树之间。

13.74　蔜，蘩蒌[①]。

【注释】

①蔜（áo）、蘩（sǎo）蒌（lǚ）：即鸡肠草，一种野菜，可做蔬菜。

13.75　离南，活莌[①]。

【注释】

①活莌（tuō）：又称通脱木，常绿灌木或小乔木，茎髓大，白色，纸质。

13.76　茏，天蘥[①]。

【注释】

①茏（lóng）、天蘥（yuè）：草名，一种高大的草。

13.77　须，葑苁[①]。

【注释】

①葑（fēng）苁（zǒng）：即芜菁，块根肥大，可做蔬菜。

13.78　蒡，隐荵[①]。

【注释】

①蒡（páng）、隐荵（rěn）：即甜桔梗的叶，可以食用。

13.79　莤[①]，蔓于。

【注释】

①莤（yóu）：水草名，又称蔓子，形似细芦，茎有恶臭，可以喂马。

13.80　菌，蔖[①]。

【注释】

①菌（lǔ）、蔖（cuó）：草名，可以编草鞋或垫在鞋中。

13.81　柱夫[①]，摇车。

【注释】

①柱（zhǔ）夫：草名，俗称野蚕豆、翘翘花，细叶，紫花，可食。

13.82　出隧，蘧蔬[①]。

【注释】

①蘧（qú）蔬：一种菌类植物。

13.83　蕲茝，蘪芜[①]。

【注释】

①蕲（qín）茝（zhǐ）、蘪（mí）芜：香草名，多年生草本植物，根可入药。

13.84　茨，蒺藜[①]。

【注释】

①茨（cí）：蒺（jí）藜（lí），一年生草本植物，果皮有尖刺，可入药。

13.85　蘮蒘[①]，窃衣。

【注释】

①蘮（jì）蒘（rú）：草名，即鬼麦，似芹，花下有芒刺，粘附人衣。

13.86　髦，颠蕀[①]。

【注释】

①颠蕀（jí）：药草名，即天门冬，多年生攀援草本植物，块根纺锤形，肉质，可入药。

13.87　雚，芄兰[①]。

【注释】

①雚（guàn）、芄（wán）兰：多年生草本植物，断之有白汁，可食。

13.88　蕁，莐藩[①]。

【注释】

①蕁（tán）、莐（chén）藩：蕁同“荨”，即药草知母。

13.89　蒮，蔦[①]。

【注释】

①蒮（yú）、蔦（xì）：即药草泽泻，多年生草本植物，叶狭长，块茎可入药。

13.90 蔨[1]，鹿藿。其实莥[2]。

【注释】

①蔨（juàn）：即鹿豆。②莥（niǔ）：鹿豆的果实。

13.91 薃侯[1]，莎。其实媞[2]。

【注释】

①薃（hào）侯：即香附子，莎草科莎草属的莎草。多年生草本植物，地下纺锤形的块茎可入药。②媞（tí）：莎草籽。

13.92 莞，苻蓠[1]。其上蒚[2]。

【注释】

①莞（guān）、苻（pú）蓠：即蒲草。②蒚（lì）：蒲草的中茎。

13.93 荷，芙渠。其茎茄，其叶蕸[1]，其本蔤[2]，其华菡萏[3]，其实莲，其根藕，其中的[4]，的中薏[5]。

【注释】

①蕸（xiá）：荷的叶子。②蔤（mì）：荷的地下茎。③菡萏：荷花。④的（dì）：莲子。⑤薏（yì）：莲子心。

13.94 红，茏古[1]。其大者蘬[2]。

【注释】

①茏（lóng）古：即荭草，一年生草本植物，生水泽中，高丈余，全株有毛，果实可入药。②蘬（kuī）：大的荭草。

13.95 差[1]，荠实。

【注释】

①差（cuó）：荠菜籽。

13.96 蕡[1]，枲实。枲[2]，麻。

【注释】

①蕡（fén）：大麻的籽。②枲（xǐ）：大麻。

13.97 须，薞芜[1]。

【注释】

①薞（sūn）芜：即酸模，草名，嫩茎叶有酸味，可食，全草入药。

13.98 菲，葸菜[1]。

【注释】

①菲（fěi）、蒠（xǐ）菜：古代指萝卜一类的菜，一年生草本植物，开紫花，嫩叶也做蔬菜，种子榨油，供食用。

13.99　蒉[1]，赤苋。

【注释】

①蒉（kuài）：即红茎苋菜。

13.100　蘠蘼，虋冬[1]。

【注释】

①蘠（qiáng）蘼、虋（mén）冬：即蔷薇。

13.101　萹苻、止。泺，贯众[1]。

【注释】

①萹（biān）苻（fú）：即贯众，多年生草本植物，以根状茎及叶柄残基部入药。

13.102　莙[1]，牛藻。

【注释】

①莙（jūn）：大叶水藻，可食。

13.103　蓫薚[1]，马尾。

【注释】

①蓫（zhú）薚（tāng）：即商陆，多年生粗壮草本植物，根可入药。

13.104　萍[1]，蓱。其大者蘋。

【注释】

①蓱（píng）：浮萍，多年生草木植物，生浅水中，叶有长柄，柄端四片小叶成田字形，全草可入药。

13.105　莃，菟葵[1]。

【注释】

①莃（xī）、菟（tù）葵：草名，也称四叶菜，多年生草本植物，生长在浅水中，夏天开小白花，可食，茎叶可入药。

13.106　芹[1]，楚葵。

【注释】

①芹：蔬菜名，即水芹，生长在水边，因古代楚国出产所以叫楚葵。

13.107 藬，牛蘈①。

【注释】

①藬（tuī）、牛蘈（tuí）：草名，叶子长而锐，穗间有花。

13.108 荬①，牛唇。

【注释】

①荬（xù）、牛唇：泽泻，多年生草本植物，生浅水中，可食，也可入药。

13.109 苹，藾萧①。

【注释】

①藾（lài）萧：即藾蒿，白蒿类植物，可以食用。

13.110 连①，异翘。

【注释】

①连：即连翘，落叶灌木，叶子对生，卵形或长椭圆形，开黄花，果实可入药。

13.111 泽，乌蕵①。

【注释】

①乌蕵（sūn）：草名，花生叶间，生长在水石旁边。

13.112 傅，横目①。

【注释】

①傅、横目：草名，贴地蔓生，根如线相结，又称鼓筝草。

13.113 釐①，蔓华。

【注释】

①釐（lài）：通“莱”，草名，茎叶像王刍，初生时可食。

13.114 蔆，蕨攈①。

【注释】

①蔆（líng）、蕨（jué）攈（méi）：即菱角，一年生水生草本植物，叶柄上有浮囊，花白色，果实有硬壳，俗称菱角。

13.115 大菊，蘧麦①。

【注释】

①蘧（qú）麦：即瞿麦，多年生草本植物，叶对生，可入药。

13.116　薜，牡赞[①]。

【注释】

①薜（bì）、牡赞（zàn）：草名，即薜荔，常绿藤木，蔓生，叶椭圆形，花极小，隐于花托内，果实富胶汁，可制凉粉。

13.117　葥[①]，山莓。

【注释】

①葥（jiàn）：即悬钩子，灌木，果实可食。

13.118　啮，苦堇[①]。

【注释】

①啮（niè）、苦堇（jǐn）：即堇葵，可食用的一种野菜。

13.119　藫[①]，石衣。

【注释】

①藫（tán）：即水苔，苔藻类植物。

13.120　蘜，治蘠[①]。

【注释】

①蘜（jú）、治蘠（qiáng）：即菊花。

13.121　唐、蒙，女萝。女萝[①]，菟丝。

【注释】

①女萝：即菟丝子，多附在松柏或其他植物上，成丝状下垂。

13.122　苖[①]，蓨。

【注释】

①苖（dí）：即羊蹄草，多年生草本植物。

13.123　茥，蒛葐[①]。

【注释】

①茥（guī）、蒛（quē）葐（pén）：即覆盆子，落叶灌木，茎有钩状刺，果实可食用，可入药。

13.124　芨，堇草[①]。

【注释】

①芨（jī）、堇（jǐn）草：即陆英，灌木状草本植物，野生，全草治疗跌

打损伤，又称接骨草。

13.125　蘮[1]，百足。

【注释】

①蘮（jiān）：即地蜈蚣草。

13.126　菺[1]，戎葵。

【注释】

①菺（jiān）：即蜀葵，两年生草本植物，花瓣五枚，有红、黄、白等色，可供观赏。

13.127　蘮[1]，狗毒。

【注释】

①蘮（jì）：即狗毒草。

13.128　垂[1]，比叶。

【注释】

①垂：比叶草。

13.129　葍[1]，盗庚。

【注释】

①葍（fù）：即旋覆花，多年生草本植物，叶针形或长椭圆形，花黄色，圆而覆下。

13.130　荸[1]，麻母。

【注释】

①荸（zì）：即大麻的雌株。

13.131　瓝[1]，九叶。

【注释】

①瓝（bó）：即九叶草。

13.132　藐，茈草[1]。

【注释】

①藐（mò），茈（zǐ）草：即紫草，多年生草本植物，暗紫色，含紫草素，可做染料。

13.133　倚商，活脱[1]。

【注释】

①活脱：又称通脱木，通草。

13.134　蘵，黄蒢[①]。

【注释】

①蘵（zhī），黄蒢（chú）：草名，即龙葵。

13.135　藒车，艺舆[①]。

【注释】

①藒（qiè）车，艺（qì）舆：香草名，古代用来除去臭味及虫蛀。

13.136　权[①]，黄华。

【注释】

①权：草名，即野决明子。

13.137　葞[①]，春草。

【注释】

①葞（mǐ）：即芒草、莽草、春草，可用来毒鱼。

13.138　葖葵[①]，蘩露。

【注释】

①葖（zhōng）葵：即承露，一年生缠绕草本植物，可做蔬菜，亦可入药。

13.139　菋，荎藸[①]。

【注释】

①菋（wèi）、荎（chí）藸（chú）：草名，即五味子。

13.140　蒤[①]，委叶。

【注释】

①蒤（tú）：一种杂草。

13.141　皇[①]，守田。

【注释】

①皇：一种似燕麦的植物。

13.142　钩，藈姑[①]。

【注释】

①藈（kuí）姑：即王瓜，多年生攀援草本植物，叶互生，近心脏形，块

根、果实可入药。

13.143　望①，乘车。

【注释】

①望：即芒草，也叫乘车。

13.144　困，衱袶①。

【注释】

①衱（jié）袶（jiàng）：草名，具体不详。

13.145　欔①，乌阶。

【注释】

①欔（jué）：即狼杷草、乌阶。

13.146　杜①，土卤。

【注释】

①杜：即杜衡，一种香草名，多年生草本植物，高一二尺，味辛香，可入药。

13.147　盱，虺床①。

【注释】

①盱（xū）、虺（huǐ）床：即蛇床，一年生草本植物，花叶似蘼芜，果实卵圆形，可入药。

13.148　蔝，菽①。

【注释】

①蔝（mǐ）、菽（áo）：即鸡肠草，一种野草。

13.149　赤，枹蓟①。

【注释】

①枹（bāo）蓟（jì）：红色的枹蓟，苍术的别名。

13.150　菟奚①，颗冻。

【注释】

①菟奚：即款冬，多年生草本植物，严冬开花，叶似葵而大，花黄色，花蕾和叶可以入药。

13.151　中馗①，菌②。小者菌。

【注释】

①中馗（qiú）：菌类，可食用。②菌：生长在林木中或草地上，种类很多。

13.152　菆[①]，小叶。

【注释】

①菆（zōu）：小叶麻。

13.153　苕[①]，陵苕。黄华，蔈[②]。白华，茇[③]。

【注释】

①苕（tiáo）：即凌霄花，落叶藤本植物，攀援他物而生，可入药。②蔈（biāo）：开黄花的苕。③茇（pèi）：开白花的苕。

13.154　藨[①]，从水生。

【注释】

①藨（méi）：水草的统称。

13.155　薇[①]，垂水。

【注释】

①薇（wēi）：即野豌豆，一年或二年生草本植物，嫩茎和叶可食。

13.156　薜[①]，山麻。

【注释】

①薜（bì）：山中野生的麻。

13.157　莽，数节[①]。桃枝，四寸有节。粼[②]，坚中。篃，筡中[③]。仲，无笐[④]。篙[⑤]，箭萌。篠[⑥]，箭。

【注释】

①数（cù）节：莽，竹子的一种。②粼（lín）：竹子的一种。③篃（mǐn），筡（tú）中：空心的竹子。④无笐（háng）：中等的竹子。⑤篙（tái）：即竹笋。⑥篠（xiǎo）：即箭竹。竹子的一种，细小而劲实，可作箭杆。

13.158　枹[①]，霍首。

【注释】

①枹（bāo）：众豆之首，即大豆。

13.159　素华，轨鬷[①]。

【注释】

①轨鬷（zěng）：意义不详。

13.160　苄[1]，夫王。

【注释】

①苄（dù）：即茳苄，多年生草本植物，茎三棱形，高四五尺，叶片细长，花绿褐色。

13.161　綦[1]，月尔。

【注释】

①綦（qí）：即紫蕨，蕨类植物，嫩叶可食，根茎可以入药。

13.162　葴[1]，马蓝。

【注释】

①葴（zhēn）：即大叶冬蓝，常绿草本植物，呈灌木状，叶对生，花紫色，根叶可入药。

13.163　姚茎[1]，涂荠。

【注释】

①姚茎：又称涂荠，一种茎高的荠菜。

13.164　苄[1]，地黄。

【注释】

①苄（hù）：又称地黄，多年生草本植物，根状茎可入药。

13.165　蒙[1]，王女。

【注释】

①蒙：即菟丝。

13.166　拔[1]，茏葛。

【注释】

①拔（fá）：即龙尾草。

13.167　蔌[1]，牡茅。

【注释】

①蔌（sù）：不结子实的白茅类植物。

13.168　菤耳[1]，苓耳。

【注释】

①菤（juǎn）耳：即"卷耳"，菊科植物，又称苍耳、苓耳。

13.169 蕨，虌[1]。

【注释】

①虌（biē）：即蕨菜，生于山野间，嫩叶可食。

13.170 荞[1]，邛巨。

【注释】

①荞（jiāo）：即大戟，药草名。

13.171 繁[1]，由胡。

【注释】

①繁：即白蒿。

13.172 莣[1]，杜荣。

【注释】

①莣（wáng）：即芒草，秆皮可用来制绳索，编鞋。

13.173 稂[1]，童粱。

【注释】

①稂（láng）：又叫童粱，长出禾穗但壳内无米的禾谷。

13.174 藨，麃[1]。

【注释】

①藨（pāo）、麃（biāo）：莓的一种，味甜可吃。

13.175 的，薂[1]。

【注释】

①薂（xí）：即莲子。

13.176 购，蔏蒌[1]。

【注释】

①蔏（shāng）蒌（lóu）：即水生白蒿。

13.177 茢[1]，勃茢。

【注释】

①茢（liè）：即石芸，药草名。

13.178 葽绕，蕀蒬[1]。

【注释】

①葽（yǎo）绕、蕀（jí）蒬（yuān）：即远志，药草名。

13.179　茦[①]，刺。

【注释】

①茦（cì）：草的芒刺。

13.180　萧，萩[①]。

【注释】

①萩（qiū）：蒿类植物的一种。

13.181　薚[①]，海藻。

【注释】

①薚（xún）：海藻的一种。

13.182　长楚，铫芅[①]。

【注释】

①铫（yào）芅（yì）：即羊桃。

13.183　蘦[①]，大苦。

【注释】

①蘦（líng）：药草名，似地黄，又称大苦。

13.184　芣苢[①]，马舄[②]。马舄，车前。

【注释】

①芣（fú）苢（yǐ）：草名，即车前草。②马舄（xì）：草名，即车前草。

13.185　纶似纶[①]，组似组[②]，东海有之。帛似帛[③]，布似布[④]，华山有之。

【注释】

①纶（guān）似纶：称为纶的海草形状像青丝做带的头巾一样。②组似组：称为组的海草形状像宽而薄的丝带。③帛似帛：称为帛的山草形状像帛。④布似布：称为布的山草形状像布。

13.186　苀，东蠡[①]。

【注释】

①苀（háng）、东蠡（lǐ）：意义不详。

13.187　绵马[①]，羊齿。

【注释】

①绵马：又名羊齿，草名，叶子很小，似羊齿。

13.188　菧[1]，麋舌。

【注释】

①菧（kuò）：又名麋舌草，生于水中，叶子像舌头。

13.189　搴，柜朐[1]。

【注释】

①搴（jiǎn）、柜（jù）朐（qú）：草名，意义不详。

13.190　蘩之丑[1]，秋为蒿[2]。

【注释】

①蘩之丑：丑，属类，这里说蘩之类的草，春天开始生长，气味不同，名字不同。②秋为蒿：到秋天，蘩之类的草长老之后，都叫做蒿。

13.191　芺[1]、蓟，其实荂[2]。

【注释】

①芺（ǎo）：蓟类草，又称苦芺。②荂（fū）：芺的果实。

13.192　藨、荂，荼[1]。

【注释】

①藨（biāo）、荂（fū）、荼：茅菅、芦苇之类的花穗。

13.193　猋、藨，芀[1]。苇丑，芀。

【注释】

①猋（biāo）、藨（biāo）、芀（tiáo）：芦苇的花穗。

13.194　葭[1]，华。蒹，薕[2]。葭，芦。菼，薍[3]。其萌虇[4]。

【注释】

①葭（jiā）：初生的芦苇。②蒹（jiān）、薕（lián）：没有长穗的芦苇。③菼（tǎn）、薍（wàn）：初生的芦苇。④其萌虇（quǎn）：芦苇的嫩芽。

13.195　蕍、芛、葟、华，荣[1]。

【注释】

①蕍、葟、华、荣：草木的花。芛：初生的草木花。

13.196　卷施草[1]，拔心不死。

【注释】

①卷施草：一种草，又称宿莽，把它的草心拔掉不会死，经过严冬也不会死。

13.197　菂、茭、荄①，根。

【注释】

①菂（yǔn）、茭（xiào）、荄（gāi）：草根。

13.198　欔，橐含①。

【注释】

①欔（jué）、橐（tuó）含：意义不详。

13.199　华，荂①也。华、荂，荣也。

【注释】

①荂（fū）：草木的花。

13.200　木谓之华①，草谓之荣②。不③荣而实者谓之秀④，荣而不实者谓之英⑤。

【注释】

①木谓之华：树木的花称为华。②草谓之荣：草本植物的花称为荣。③不：衍文。④秀：禾类植物的抽穗、结果或草类植物结实叫秀。⑤英：开花但不结果叫英。

释木第十四

14.1　梢，山榎①。

【注释】

①梢（tāo）、山榎（jiǎ）：即山楸，落叶乔木。

14.2　栲，山樗①。

【注释】

①栲（kǎo）、山樗（chū）：即野鸦椿，落叶灌木或小乔木，初夏开黄白色小花，种子蓝红色，木材可制器具，根、果、花可入药。

14.3　柏，椈①。

【注释】

①椈（jú）：即柏树，常绿乔木或灌木，叶小，性耐寒，经冬不凋谢，木质

坚硬，纹理致密，可供建筑和制作器具之用。

14.4 髡，梱[1]。

【注释】

①髡（kūn）、梱（kùn）：整枝剪去树枝。

14.5 椴，柂[1]。

【注释】

①椴（duàn）、柂（yí）：落叶乔木，似白杨，木材纹理细致，材质优良，用途很广，花黄色或白色。

14.6 梅，柟[1]。

【注释】

①柟（nán）：即楠木，常绿大乔木，木材坚密芳香，为贵重的建筑材料。

14.7 被，煔[1]。

【注释】

①被（bǐ）、煔（shān）：即杉树，常绿乔木，树干高直，叶线状披针形，木材质轻耐朽，供建筑和制造器具之用。

14.8 櫠，椵[1]。

【注释】

①櫠（fèi）、椵（jiǎ）：柚类果木。

14.9 杻，檍[1]。

【注释】

①杻（niǔ）、檍（yì）：俗称万年木，木质坚质，可作车、弓材料。

14.10 楙[1]，木瓜。

【注释】

①楙（mào）：即木瓜，落叶灌木或小乔木，果实酸，有香气，可食，亦可入药。

14.11 椋[1]，即来。

【注释】

①椋（liáng）：即凉子木、即来，叶似柿，子细圆，生青熟黑。

14.12 栵，栭[1]。

【注释】

①栵（liè）、栭（ér）：即茅栗，子如细栗，可食。

14.13　檴[①]，落。

【注释】

①檴（huò）：即椰榆，又名柚子树。

14.14　柚，条[①]。

【注释】

①柚、条：常绿乔木，叶大而阔，花白色，果实大，圆形或扁圆形，皮厚，果味甜酸。

14.15　时，英梅[①]。

【注释】

①时、英梅：似梅而小的果木名。

14.16　楥，柜桏[①]。

【注释】

①楥（yuán）、柜（jǔ）桏：即榉柳，落叶乔木。

14.17　栩，杼[①]。

【注释】

①栩（xǔ）、杼（shù）：木名，落叶乔木，嫩叶可以喂蚕。

14.18　味，荎著[①]。

【注释】

①荎（chí）著（chú）：即五味木，木本植物。

14.19　蘦，荎[①]。

【注释】

①蘦（ōu）、荎（chí）：即刺榆，落叶小乔木，小枝有坚硬的枝刺，木质坚硬，可以造农具、车辆等。

14.20　杜[①]，甘棠。

【注释】

①杜：即杜梨，一种野生梨，落叶乔木，枝有针刺，果实可食。

14.21　狄，臧槔[①]。

【注释】

①臧槔（gāo）：木名，可能是乌桕树。

14.22 贡，綦[①]。

【注释】

①綦（qí）：意义未详。

14.23 朹，檕梅[①]。朻[②]者聊。

【注释】

①朹（qiú）、檕（jì）梅：即山楂。②朻（jiū）：树木向下弯曲。

14.24 魄，榽橀[①]。

【注释】

①榽（xī）橀（xī）：即白木。

14.25 梫[①]，木桂。

【注释】

①梫（qǐn）：即肉桂。

14.26 棆[①]，无疵。

【注释】

①棆（lún）：即大叶钓樟，落叶灌木，树皮光滑，有黑斑。

14.27 椐，樻[①]。

【注释】

①椐（jū）、樻（kuì）：即灵寿木。

14.28 柽[①]，河柳。旄[②]，泽柳。杨[③]，蒲柳。

【注释】

①柽（chēng）：即河柳，落叶小乔木，赤皮，枝细长，多下垂。②旄（máo）：一种生长于水泽中的柳树。③杨：即水杨，一种生长于水边的杨树。

14.29 权[①]，黄英。

【注释】

①权：即黄英，黄华木。

14.30 辅[①]，小木。

【注释】

①辅、小木：意义未详。

14.31　杜[1]，赤棠。白者棠[2]。

【注释】

①杜：木名，即杜梨，也叫棠梨，一种野生梨。②白者棠：子为红色的称为杜，子为白色为称为棠。

14.32　诸虑，山櫐[1]。

【注释】

①山櫐（lěi）：即诸虑，一种藤本植物。

14.33　欇[1]，虎櫐。

【注释】

①欇（shè）：即紫藤，也叫虎櫐，一种高大木质的藤本植物。

14.34　杞，枸檵[1]。

【注释】

①枸檵（jì）：即枸杞，落叶小灌木，果实卵圆形，红色。

14.35　杬[1]，鱼毒。

【注释】

①杬（yuán）：同“芫”，即芫华，落叶灌木，叶小椭圆形，花小色紫，花蕾有毒，可供药用。

14.36　檓[1]，大椒。

【注释】

①檓（huǐ）：即花椒，也叫大椒，种子黑色，可以做调味的香料，也供药用。

14.37　楰[1]，鼠梓。

【注释】

①楰（yú）：即苦楸，楸的一种。

14.38　枫，欇欇[1]。

【注释】

①欇欇（shè）：木名，即枫香树，因其叶子经霜变红，有红枫、丹枫之称。

14.39 寓木①，宛童。

【注释】

①寓木：寄生在大树上的一种小灌木，又名宛童，常寄生于桑树上等。

14.40 无姑①，其实夷。

【注释】

①无姑：乔木名，榆类的一种，又名芜荑，其果实叫夷，其皮可入药。

14.41 栎①，其实梂。

【注释】

①栎（lì）：麻栎，果实叫梂（qiú），落叶乔木，叶长椭圆形，初夏开花，黄褐色，坚果卵圆形，幼叶可以喂蚕。

14.42 檖①，萝。

【注释】

①檖（suì）：即山梨，一种野生梨。

14.43 楔①，荆桃。

【注释】

①楔（xiē）：即樱桃，落叶乔木，果实为红色，味甜或带酸。

14.44 旄①，冬桃。榹②桃，山桃。

【注释】

①旄（máo）：桃的一种。②榹（sī）：山桃，一种野生桃。

14.45 休①，无实李。痤②，椄虑李。驳③，赤李。

【注释】

①休：一种不结果实的李树。②痤（cuó）、椄（jiē）虑李：即麦李，果实小而肥甜有沟。③驳、赤李：一种李树，果实赤红有沟。

14.46 枣，壶枣①。边，要枣②。櫅③，白枣。樲④，酸枣。杨彻，齐枣⑤。遵，羊枣⑥。洗，大枣。煮，填枣⑦。蹶泄，苦枣⑧。皙⑨，无实枣。还味，棯枣⑩。

【注释】

①壶枣：枣的一种，果实似瓠。②边、要枣：枣的一种，果实细腰。③櫅（jī）：白枣，枣的一种，果实成熟呈白色。④樲（èr）：酸枣，枣的一种，果实小

而酸。⑤杨彻、齐枣：枣的一种，产于齐地。⑥遵、羊枣：枣的一种，果实小而圆，紫黑色。⑦煮、填枣：枣的一种，果实可供榨油。⑧蹶（jué）泄、苦枣：枣的一种，果实味苦。⑨皙（xī）：枣的一种，不结果实。⑩还味、棯（rěn）枣：枣的一种，果实味道不好。

14.47　榇[1]，梧。

【注释】

①榇（chèn）：即梧桐，落叶乔木，种子可食，也可用来榨油。

14.48　朴，枹者[1]。

【注释】

①朴、枹（bāo）者：丛生的树木。

14.49　谓榇[1]，采薪。采薪，即薪。

【注释】

①谓榇（chèn）：即柞树。

14.50　棪，槤其[1]。

【注释】

①棪（yǎn）、槤（sù）其：一种果实似柰的果木。

14.51　刘，刘杙[1]。

【注释】

①刘杙（yì）：一种果实如梨的果木。

14.52　櫰[1]，槐大叶而黑。守宫槐[2]，叶昼聂[3]宵炕[4]。

【注释】

①櫰（huái）：一种叶大而黑的槐树。②守宫槐：一种树叶昼合夜开的槐树。③聂（zhé）：合。④炕（hāng）：张、开。

14.53　槐[1]小叶曰榎[2]。大而皵，楸。小而皵[3]，榎。

【注释】

①槐：楸树的一种，落叶乔木。②榎（jiǎ）：楸树的一种，落叶乔木。③皵（què）：树皮粗糙皲裂。

14.54　椅，梓[1]。

【注释】

①椅（yī）、梓（zǐ）：楸类树木。

14.55　桋[①]，赤楝，白者楝。

【注释】

①桋（yí）：木名，树皮红色的叫赤楝（sù），树皮白色的叫楝。

14.56　终，牛棘[①]。

【注释】

①终、牛棘：一种针刺粗长的大灌木。

14.57　灌木，丛木[①]。

【注释】

①灌木、丛木：丛生的木本植物。

14.58　瘣木，苻娄[①]。

【注释】

①瘣（huì）木、苻娄：有病、枝叶弯曲的树木。

14.59　蕡[①]，藹。

【注释】

①蕡（fén）：草木果实繁盛硕大的样子。

14.60　枹[①]，遒木[②]，魁瘣[③]。

【注释】

①枹（bāo）：丛生的树木。②遒（qiú）木：丛生的树木。③魁瘣（lěi）：树木根节或枝叶盘结的样子。

14.61　棫，白桵[①]。

【注释】

①棫（yù）、白桵（ruí）：一种丛生的小树。

14.62　梨，山樆[①]。

【注释】

①山樆（lí）：山梨，落叶乔木，叶子卵形，花多为白色，果实多汁，可食。

14.63　桑辨有葚[①]，栀。女桑，桋桑[②]。

【注释】

①桑辨（piàn）有葚：一般结桑葚的桑树叫栀。②桋（tí）桑：一种树小而枝长的桑树。

14.64　榆，白枌[1]。

【注释】

①榆、白枌（fěn）：一种白色树皮的榆树。

14.65　唐棣，栘[1]。常棣[2]，棣。

【注释】

①唐棣（dì）、栘（yí）：一种似白杨的棣树。②常棣：一种似李的棣树。

14.66　槚，苦荼[1]。

【注释】

①槚（jiǎ）、苦荼（tú）：即茶树。

14.67　樕朴[1]，心。

【注释】

①樕（sù）朴：一种小树。

14.68　荣[1]，桐木。

【注释】

①荣：即梧桐。

14.69　栈木[1]，干木。

【注释】

①栈木：即僵木。

14.70　檿桑[1]，山桑。

【注释】

①檿（yǎn）桑：落叶乔木，叶子可以喂蚕，木质坚劲，古代多用来制弓和车辕。

14.71　木自獘[1]，柛[2]。立死，椔[3]。蔽者，翳[4]。

【注释】

①獘（bì）：倒下而死。②柛（shēn）：树木自己倒地而死。③椔（zī）：直立的枯木。④翳（yì）：扑倒，树木倒地而死。

14.72　木相磨，槸[1]。棤，皵[2]。梢，梢擢[3]。

【注释】

①槸（yì）：树枝相磨。②棤（cuò）、皵（què）：树皮粗糙皲裂。③梢擢：树高而无旁枝。

14.73　枞①，松叶柏身。桧②，柏叶松身。

【注释】

①枞（cōng）：即冷杉，常绿乔木，干高数丈，可作建筑材料。②桧（guì）：常绿乔木，干高数丈，木材桃红色，有香味。细致坚实，可做建筑材料和家具等。

14.74　句如羽，乔①。下句曰朻②，上句曰乔。如木楸曰乔③，如竹箭曰苞，如松柏曰茂，如槐曰茂。

【注释】

①句（gōu）如羽，乔：树枝弯曲如同羽毛称为乔。②下句曰朻（jiū）：树枝向下弯曲为朻。③如木楸曰乔：像楸木一样的树木叫乔。

14.75　祝，州木①。

【注释】

①祝、州木：即州树。

14.76　髦，柔英①。

【注释】

①髦、柔英：即女木。

14.77　槐棘丑①，乔。桑柳丑，条。椒榝②丑，莍③。桃李丑，核。

【注释】

①槐棘丑：桑柳之类的树木。②榝（shā）：一种类似茱萸的植物。③莍（qiú）：果实表皮密生疣状突出物的腺体。

14.78　瓜曰华①之，桃曰胆②之，枣李曰疐③之，楂④梨曰钻之。

【注释】

①华（huā）：从中间剖开。②胆：擦拭。③疐（dì）：蒂，引申为去掉蒂。④楂（zhā）：山楂。

14.79　小枝上缭为乔①，无枝为檄②。木族生为灌③。

【注释】

①小枝上缭为乔：树木细枝上翘为乔。②无枝为檄：没有树枝称为檄。③木族生为灌：丛生的树木称为灌。

释虫第十五

15.1　螜，天蝼[1]。

【注释】

①螜（hú）、天蝼：即蝼蛄，生活在泥土中，昼伏夜出，吃农作物。

15.2　蜚，蠦蜰[1]。

【注释】

①蜚（fěi）、蠦（lú）蜰（féi）：即臭般虫，一种圆薄能飞的小虫，气味臭恶。

15.3　螾衔[1]，入耳。

【注释】

①螾（yǐn）衔（yǎn）：即蚰蜒，节足动物，像蜈蚣而略小，体色黄褐，生活在阴湿的地方，捕食小虫，有益农事。

15.4　蜩[1]，蜋蜩[2]，螗蜩[3]。蚻[4]，蜻蜻。蠽[5]，茅蜩。蝒，马蜩[6]。蜺，寒蜩[7]。蜓蚞，螇螰[8]。

【注释】

①蜩（tiáo）：蝉，蝉的种类繁多，这里介绍蝉的大小及方言中不同的名称。②蜋（láng）蜩：一种有多种颜色的蝉。③螗（táng）蜩：一种体型较小而叫声清亮的蝉。④蚻（zhá）、蜻蜻（jìng）：一种体型较小而有花纹的蝉。⑤蠽（jié）、茅蜩：一种体型较小而色青的蝉。⑥蝒（mián）、马蜩：蝉中体型最大的蝉。⑦蜺（ní）、寒蜩：一种体型较小而色青赤的蝉。⑧蜓（tíng）蚞（mù）、螇（xī）螰（lù）：蝉的一种，体短，吻长，黄绿色，翅膀有黑斑。

15.5　蛣蜣，蜣蜋[1]。

【注释】

①蛣（jié）蜣（qiāng）、蜣蜋（láng）：俗称屎壳郎，一种黑色的甲虫。

15.6　蝎，蛣蝠[1]。

【注释】

①蝎（hé）、蛣（jié）蝠（qū）：即木中蛀虫。

15.7 蠰[①]，啮桑。

【注释】

①蠰（shàng）：一种似天牛的桑树害虫。

15.8 诸虑，奚相[①]。

【注释】

①诸虑、奚相：可能是桑蠹一类的昆虫。

15.9 蜉蝣，渠略[①]。

【注释】

①蜉（fú）蝣（yóu）、渠略：一种寿命极短的昆虫，幼虫生活在水中，成虫为褐绿色，有四翅，能飞。

15.10 蛂，蟥蛢[①]。

【注释】

①蛂（bié）、蟥（huáng）蛢（píng）：俗称金龟子，危害庄稼、树木。

15.11 蠸，輿父，守瓜[①]。

【注释】

①蠸（quán）、輿父、守瓜：一种喜食瓜叶的黄甲小虫。

15.12 蝚，蛖蝼[①]。

【注释】

①蝚（róu）、蛖（máng）蝼（lóu）：蝼蛄类昆虫。

15.13 不蜩，王蚥[①]。

【注释】

①不蜩、王蚥（fù）：一种大蝉。

15.14 蛄䗐，强蝆[①]。

【注释】

①蛄䗐（shī）、强蝆（mǐ）：一种米中的黑色小蛀虫。

15.15 不过，蟷蠰[①]，其子蜱蛸[②]。

【注释】

①不过、蟷（dāng）蠰（náng）：螳螂。②蜱（pí）蛸（xiāo）：螳螂的卵块。

15.16　蒺藜，蝍蛆[1]。

【注释】

①蒺藜、蝍(jí)蛆(jū)：可能是蟋蟀，也可能是蜈蚣。

15.17　蝝，蝮蜪[1]。

【注释】

①蝝(yuán)、蝮(fù)蜪(táo)：蝗的幼虫。

15.18　蟋蟀，蛬[1]。

【注释】

①蛬(qióng)：蟋蟀。

15.19　蟼[1]，蟆。

【注释】

①蟼(jǐng)：一种蛤蟆。

15.20　蛝，马蝬[1]。

【注释】

①蛝(xián)、马蝬(zhàn)：即马陆，节肢动物，体圆长，吃草根或腐败的植物。

15.21　蛗螽，蠜[1]。草螽，负蠜[2]。蜤螽，蜙蝑[3]。蟿螽，螇蚸[4]。土螽，蠰溪[5]。

【注释】

①蛗(fù)螽(zhōng)、蠜(fán)：蝗类的总名。②草螽、负蠜：蝗虫的一种，雄者鸣声如织机，俗称蝈蝈、织布娘。③蜤(sī)螽、蜙(sōng)蝑(xū)：蝗类昆虫，体长寸许，绿褐色，雄虫的前翅能发出声音。④蟿(qì)螽，螇(qī)蚸(lì)：俗称哈答板，绿色或黄褐色，头尖，后翅大，飞时扎扎发声。⑤土螽、蠰(rǎng)溪(xī)：即灰蚱蜢，蝗类昆虫。

15.22　螼蚓，蜸蚕[1]。

【注释】

①螼(qǐn)蚓、蜸(qiǎn)蚕：即蚯蚓。

15.23　莫貈，蟷蜋，蛑[1]。

【注释】

①莫貈(hé)、蟷(dāng)蜋(láng)、蛑(móu)：即螳螂。

尔雅

15.24　虰蛵，负劳①。

【注释】

①虰（dīng）蛵（xīng）、负劳：即蜻蜓。

15.25　蛅，毛蠹①。

【注释】

①蛅（hàn）、毛蠹：即刺毛虫，俗称杨瘌子，一种有毒能蜇人的毛虫。

15.26　螺，蛅蟴①。

【注释】

①螺（mò）、蛅（zhān）蟴（sī）：一种刺毛虫。

15.27　蟠，鼠负①。

【注释】

①蟠（fán）、鼠负：即鼠妇，体型椭圆，胸部节多足，栖于缸瓮底部等阴湿之处。

15.28　蟫，白鱼①。

【注释】

①蟫（yín）、白鱼：即蠹鱼，蚀衣服、书籍的蛀虫。

15.29　蛾，罗①。

【注释】

①蛾、罗：虫蛹变化出来的飞蛾。

15.30　螒，天鸡①。

【注释】

①螒（hàn）、天鸡：即纺织娘，身体绿色或黄褐色，头小，吃瓜类的花朵、瓜瓤等。

15.31　傅，负版①。

【注释】

①傅、负版：一种喜欢负重的小虫。

15.32　强，蚚①。

【注释】

①强、蚚（qí）：米中的小黑甲虫。

15.33　蚧，螪何①。

【注释】

①蚧（jiè）、螪（shāng）何：可能是蜥蜴类，也可能是米中虫。

15.34　螝，蛹①。

【注释】

①螝（guī）、蛹：即虫蛹，完全变态的昆虫由幼虫发育成虫的过渡状态。

15.35　蚬，缢女①。

【注释】

①蚬（xiàn）、缢女：蝶类的幼虫，赤头，长寸许，吐丝作茧，悬于空中。

15.36　蚍蜉①，大螘②，小者螘。蠪，朾螘③。螱，飞螘④。其子蚳⑤。

【注释】

①蚍蜉：一种大蚂蚁。②螘（yǐ）：同"蚁"。③蠪（lóng）、朾（chéng）螘：一种赤色斑驳的大蚂蚁。④螱（wèi）、飞蚁：即白蚁。⑤蚳（chí）：蚁卵。

15.37　次蟗①，蜘蛛。蜘蛛，蛛蝥②。土蜘蛛③，草蜘蛛④。

【注释】

①次蟗（qiū）：即蜘蛛。②蛛蝥（wú）：即蜘蛛。③土蜘蛛：蜘蛛的一种，常常生活在尘土多的地方。④草蜘蛛：蜘蛛的一种，喜欢生活在草木上。

15.38　土蜂①，木蜂②。

【注释】

①土蜂：一种在地里做房的大蜂。②木蜂：一种比土蜂小的在树上做房的蜂，江东亦称为木蜂。

15.39　蟦，蛴螬①。

【注释】

①蟦（féi）、蛴（qí）螬（cáo）：金龟子的幼虫，长寸许，居于土中，以植物根茎等为食，为主要地下害虫。

15.40　蝤蛴，蝎①。

【注释】

①蝤（qiú）蛴（qí）、蝎（hé）：天牛的幼虫，色白身长，蛀蚀树木。

15.41　蛜威，委黍[1]。

【注释】

①蛜威、委黍：地鳖虫。

15.42　蟰蛸，长踦[1]。

【注释】

①蟰（xiāo）蛸（shāo）、长踦（jǐ）：一种长脚小蜘蛛。

15.43　蛭蝚，至掌[1]。

【注释】

①蛭（zhì）蝚（róu）、至掌：俗称蚂蟥，环节动物，体长稍扁，色黑带绿，尾端有吸盘，吸食人畜血液。

15.44　国貉，虫蠁[1]。

【注释】

①国貉、虫蠁（xiǎng）：即知声虫，又名土蛹。

15.45　蠖，蚇蠖[1]。

【注释】

①蠖（huò）、蚇（chǐ）蠖：尺蠖蛾的幼虫，体细长，生长于树，爬行时一屈一伸。

15.46　果蠃，蒲卢[1]。

【注释】

①果蠃（luǒ）、蒲卢：即细腰蜂，常捕螟蛉喂它的幼虫。

15.47　螟蛉，桑虫[1]。

【注释】

①螟（míng）蛉（líng）、桑虫：螟蛉的幼虫。

15.48　蝎[1]，桑蠹。

【注释】

①蝎（hé）：木中蛀虫。

15.49　荧火，即炤[1]。

【注释】

①即炤（zhào）：即荧火虫。

15.50　密肌，继英[1]。

【注释】

①密肌、继英：又称草鞋底、蓑衣虫等。

15.51　蚅，乌蠋[1]。

【注释】

①蚅（è）、乌蠋（zhú）：一种蛾蝶类的幼虫。

15.52　蠓，蠛蠓[1]。

【注释】

①蠓（měng）、蠛（miè）蠓：即蠓虫，比蚊子小，喜欢聚集乱飞。

15.53　王，蛈蝪[1]。

【注释】

①王，蛈（tiě）蝪（tāng）：土蜘蛛，一种生活在地下的小蜘蛛。

15.54　蟓[1]，桑茧。雔由[2]：樗茧、棘茧、栾[3]茧。蚢[4]，萧[5]茧。

【注释】

①蟓（xiàng）：桑蚕。②雔（chóu）由：三种野蚕的总称。③樗（chū）、棘、栾：分别指臭椿树、酸枣树、栾华树。④蚢（háng）：一种野蚕。⑤萧：艾蒿。

15.55　翥丑罅[1]。螽丑奋[2]。强丑捋[3]。蜂丑螸[4]。蝇丑扇[5]。

【注释】

①翥（zhù）丑罅（xià）：飞翥类的昆虫多裂缝而生。罅，裂缝。②螽丑奋：螽蝗类昆虫喜好作声奋飞。③强丑捋（luō）：强蚚类昆虫喜好用脚捋。④蜂丑螸（yú）：蜂类昆虫喜好垂腹部。⑤蝇丑扇：蝇类昆虫喜好摇翅自扇。

15.56　食苗心，螟[1]。食叶，蟘[2]。食节，贼[3]。食根，蟊[4]。

【注释】

①螟（míng）：螟蛾的幼虫，吃苗心。②蟘（tè）：吃苗叶的昆虫。③贼：吃苗杆的昆虫。④蟊（máo）：吃苗根的昆虫。

15.57　有足谓之虫，无足谓之豸[1]。

【注释】

①豸（zhì）：无足之虫。

释鱼第十六

16.1　鲤[1]。

【注释】

①鲤：鲤鱼，身体侧扁，背部苍黑色，腹部黄白色，嘴边有长短须各一对。

16.2　鳣[1]。

【注释】

①鳣（zhān）：鲟鳇鱼，也叫黄鱼。

16.3　鰋[1]，鳀。

【注释】

①鰋（yǎn）：鲇鱼，又称鳀（tí）。

16.4　鳢[1]。

【注释】

①鳢（lǐ）：黑鱼、乌鳢，体长，头扁，口大，牙尖，青褐色，有黑色斑块。

16.5　鲩[1]。

【注释】

①鲩（huàn）：即草鱼，体略呈圆筒形，青黄色。

16.6　鲨，鮀[1]。

【注释】

①鲨（shā）、鮀（tuó）：吹沙小鱼。

16.7　鮂，黑鰦[1]。

【注释】

①鮂（qiú）、黑鰦（zī）：即白鲦鱼，腹白，鳞细，好群游水面。

16.8　鳛，鳅[1]。

【注释】

①鳛（xí）、鳅（qiū）：泥鳅。

16.9　鲣，大鮦[1]，小者鲵[2]。

【注释】

①鲣（jiān）、大鲖（tóng）：大黑鱼。②鲵（duó）：小黑鱼。

16.10 魾，大鳠[①]。小者鮡[②]。

【注释】

①魾（pī）、大鳠（hù）：一种似鲇的大鱼。②鮡（zhào）：小鳠。

16.11 鰝[①]，大鰕。

【注释】

①鰝（hào）：大海虾。

16.12 鲲[①]，鱼子。

【注释】

①鲲（kūn）：鱼苗。

16.13 鱀，是鱁[①]。

【注释】

①鱀（jì）、是鱁（zhú）：即白鱀豚，生活在淡水中的鲸类，体型似鱼，皮肤光滑细腻，背部浅灰而腹部洁白。

16.14 鱦[①]，小鱼。

【注释】

①鱦（yìng）：一种小鱼。

16.15 鮥，鮛鲔[①]。

【注释】

①鮥（luò）、鮛（shū）鲔（wěi）：小鲟鱼。

16.16 鯦，当魱[①]。

【注释】

①鯦（jiù）、当魱（hú）：即鲥鱼，体侧扁，背部黑绿色，腹部银白色，肉鲜嫩。

16.17 鮤，鱴刀[①]。

【注释】

①鮤（liè）、鱴（miè）刀：即鲚（jí）鱼，体型薄而长，又称魛鱼。

16.18 鱊鲚，鳜鳎[①]。

【注释】

①鳊(yù)鲭(kū)、鳜(jué)鯞(zhǒu)：一种小鱼，又称鳑鲏鱼，形似鲫鱼，却比鲫鱼小。

16.19　鱼有力者，徽[①]。

【注释】

①徽(huī)：强大而多力的鱼。

16.20　魵，鰕[①]。

【注释】

①魵(fén)、鰕：即斑鱼。

16.21　鮅，鳟[①]。

【注释】

①鮅(bì)、鳟(zūn)：即赤眼鳟，一名红眼鱼，似草鱼而小，鳞细，多细纹。

16.22　鲂，鲏[①]。

【注释】

①鲂(fáng)、鲏(pí)：即鳊鱼，鳞细，肉厚，味美。

16.23　鳌，鯠[①]。

【注释】

①鳌(lí)、鯠(lái)：鲥鱼的别称。

16.24　蜎，蠉[①]。

【注释】

①蜎(yuān)、蠉(xuān)：蚊子的幼虫，即孑孓。

16.25　蛭，虮[①]。

【注释】

①蛭(zhì)、虮(jǐ)：即水蛭，俗称蚂蟥。

16.26　科斗，活东[①]。

【注释】

①科斗、活东：蛙或蟾蜍的幼体。

16.27　魁陆[①]。

【注释】

①魁陆：有两扇贝壳，厚而坚硬，上有瓦楞状突起。

16.28　蜪蚅[1]。

【注释】

①蜪（táo）蚅（è）：或是蝗虫的卵。

16.29　鼁䵶，蟾诸[1]。在水者黾[2]。

【注释】

①鼁（qù）䵶（qiū）、蟾诸：即蟾蜍。②黾（měng）：水中的蟾蜍。

16.30　蜌，螷[1]。

【注释】

①蜌（bì）、螷（pí）：一种狭长的蚌。

16.31　蚌，含浆[1]。

【注释】

①含浆：蚌的别称。

16.32　鳖三足，能[1]。龟三足，贲[2]。

【注释】

①能（nái）：三足的鳖。②贲（fén）：三足的龟。

16.33　蚹蠃，螔蝓[1]。蠃[2]，小者蜬。

【注释】

①蚹（fù）蠃、螔（yí）蝓（yú）：蜗牛类的软体动物。②蠃（luó）：即螺。③蜬（hán）：即小螺。

16.34　蝟蜂[1]，小者蟧[2]。

【注释】

①蝟（huá）蜂（zé）：螺壳内寄居虫，形似蜘蛛，常戴壳而游。②蟧（láo）：小的蝟蜂。

16.35　蜃[1]，小者珧[2]。

【注释】

①蜃（shèn）：大蛤。②珧（yáo）：小的蜃。

16.36　龟，俯者灵[1]，仰者谢[2]，前弇诸果[3]，后弇诸猎[4]，左倪不类[5]，右倪不若[6]。

【注释】

①俯者灵：爬行时低头向下的叫灵龟。②仰者谢：爬行时仰头向上的叫谢龟。③前弇诸果：爬行时龟甲前掩的叫果龟。弇（yǎn）：覆盖。④后弇诸猎：爬行时龟甲后掩的叫猎龟。⑤左倪不类：爬行时头向左斜视的叫类龟。倪（nì）：侧目斜视。不，语助词，无意义。⑥右倪不若：爬行时头向右斜视的叫若龟。

16.37　贝，居陆贆[1]，在水者蜬[2]。大者魧[3]，小者鲼[4]。玄贝[5]，贻贝。余貾[6]，黄白文。余泉[7]，白黄文。蚆[8]，博而頯。蜠[9]，大而险。鲼[10]，小而椭。

【注释】

①贆（biāo）：居于陆地的贝称为贆。②蜬（hán）：生活在水中的贝类称为蜬。③魧（háng）：大贝叫魧。④鲼（jì）：小贝叫鲼。⑤玄贝：一种贝类，又称淡菜、贻贝。⑥余貾（chí）：黄底白纹的贝。⑦余泉：贝名，白底黄纹的贝。⑧蚆（bā）：体大、中间宽两头尖的贝。⑨蜠（jùn）：大而薄的贝。⑩鲼（jì）：体型小而呈椭圆形的贝。

16.38　蝾螈[1]，蜥蜴。蜥蜴，蝘蜓[2]。蝘蜓，守宫也。

【注释】

①蝾螈（yuán）：蜥蜴。②蝘（yǎn）蜓（tíng）：俗称壁虎，也叫守宫。

16.39　蛈，蚅[1]。螣，螣蛇[2]。蟒[3]，王蛇。蝮虺[4]，博三寸，首大如擘。

【注释】

①蛈（dié）、蚅（è）：毒蛇名，蝮蛇的一种。②螣（téng）：螣蛇，传说中一种能飞的蛇。③蟒：一种无毒的大蛇。④蝮（fù）虺（huǐ）：蝮蛇，头呈三角形，身宽三寸，头大得像人的胳膊。

16.40　鲵[1]，大者谓之鰕。

【注释】

①鲵（ní）：俗称娃娃鱼，两栖动物，体长约1米，皮肤黏滑，头扁圆，口大，栖息于山溪中。

16.41　鱼枕①谓之丁，鱼肠谓之乙②，鱼尾谓之丙③。

【注释】

①鱼枕：鱼骨头。②鱼肠谓之乙：鱼肠像乙字，故称为乙。③鱼尾谓之丙：鱼尾像丙字，故称为丙。

16.42　一曰神龟①，二曰灵龟②，三曰摄龟③，四曰宝龟④，五曰文龟⑤，六曰筮龟⑥，七曰山龟⑦，八曰泽龟⑧，九曰水龟⑨，十曰火龟⑩。

【注释】

①神龟：古人用来占卜吉凶的龟，被视为大宝，十朋之龟之一。②灵龟：十朋之龟之一，有灵应的龟。③摄龟：十朋之龟之一，小龟名。④宝龟：十朋之龟之一，古代用来占卜吉凶的龟。⑤文龟：十朋之龟之一，甲有文彩的龟。⑥筮龟：十朋之龟之一，潜伏在蓍丛下的龟。⑦山龟：十朋之龟之一，生于山中，大名叫蠵蠵的龟。⑧泽龟：十朋之龟之一，生长在沼泽中的龟。⑨水龟：十朋之龟之一，生于水中的龟。⑩火龟：十朋之龟之一，传说像火鼠那样不怕火的龟。

释鸟第十七

17.1　隹其，鴂鴀①。

【注释】

①隹（zhuī）其、鴂（fū）鴀（fǒu）：又名夫不，即火斑鸠，体小，尾短，颈无斑。

17.2　鷉鸠，鹘鸼①。

【注释】

①鷉（jué）鸠、鹘（gǔ）鸼（zhōu）：一种似山鹊的小鸟。

17.3　鸤鸠，鴶鵴①。

【注释】

①鸤（shī）鸠、鴶（jiá）鵴（jú）：即布谷鸟，以鸣声似“布谷”而得名，因鸣

于播种时，故相传为劝耕之鸟。

17.4 鵅鸠，鵧鵅①。

【注释】

①鵅（jí）鸠、鵧（píng）鵅：一种小黑鸟，五更时鸣叫，催人劳作。

17.5 鴡鸠，王鴡①。

【注释】

①鴡（jū）鸠、王鴡：雕类小鸟，常在江边食鱼，其鸣雌雄应和。

17.6 鴭，鵋鵙①。

【注释】

①鴭（gé）、鵋（jì）鵙（qí）：即猫头鹰，羽毛淡褐色，多黑斑，昼伏夜出，食物以鼠类为主。

17.7 鶅，鵌轨①。

【注释】

①鶅（zī）、鵌（tù）轨：可能是猫头鹰一类的鸟。

17.8 鴗，天狗①。

【注释】

①鴗（lì）、天狗：即鱼狗，体小，嘴长，尾短，羽毛多翠色，主食鱼虾。

17.9 鷚，天鸙①。

【注释】

①鷚（liù）、天鸙（yuè）：即云雀，又名告天鸟。

17.10 鵱鷜①，鹅。

【注释】

①鵱（lù）鷜（lǚ）：即野鹅。

17.11 鶬，麋鸹①。

【注释】

①鶬（cāng）、麋鸹（guā）：一种似鹤的鸟，体苍青色。

17.12 鵅，乌鸔①。

【注释】

①鵅（luò）、乌鸔（bǔ）：水鸟名，一种能高飞的水鸟。

17.13　舒雁①，鹅。

【注释】

①舒雁：鹅的别称。

17.14　舒凫，鹜①。

【注释】

①舒凫（fú）、鹜（wù）：即鸭。

17.15　鳽，鵁鶄①。

【注释】

①鳽（jiān）、鵁（jiāo）鶄（jīng）：即池鹭，一种体大如野鸭，高腿长嘴，红冠翠羽的水鸟，活动于湖沼、稻田一带。

17.16　与，鶭鷵①。

【注释】

①与、鶭（jǐng）鷵（tú）：意义未详，可能是鸦类鸟名。

17.17　鹈，鴮鸅①。

【注释】

①鹈（tí）、鴮（wū）鸅（zé）：鹈鹕，也叫塘鹅，嘴长过尺，下有皮囊，可沉入水中捕鱼。

17.18　鶾，天鸡①。

【注释】

①鶾（hàn）、天鸡：即赤羽山鸡。

17.19　鸴，山鹊①。

【注释】

①鸴（xué）：山鹊的别称，羽毛主要为蓝色，嘴、脚红色，尾巴长，性凶悍，常常掠夺其他鸟的卵。

17.20　鷣，负雀①。

【注释】

①鷣（yín）、负雀：即鹞。

17.21　啮齿，艾①。

【注释】

①啮齿、艾：意义未详，可能是雌巧妇鸟。

17.22　鶨，鵋老①。

【注释】

①鶨(chuàn)、鵋(qí)老：俗称痴鸟，一种鸱类猛禽。

17.23　鳸，鴳①。

【注释】

①鳸(hù)、鴳(yàn)：即鴳雀，弱小不能飞远，为麦收时的候鸟。

17.24　桑鳸①，窃脂。

【注释】

①桑鳸(hù)：又名窃脂，一种小青鸟，钩状嘴，喜欢吃肉和脂肪。

17.25　鳭鷯①，剖苇。

【注释】

①鳭(diāo)鷯(liáo)：也叫剖苇鸟，一种吃苇中虫子的小鸟。

17.26　桃虫，鷦①，其雌鴱②。

【注释】

①鷦(jiāo)：鷦鸟，也叫桃虫，俗称巧妇鸟。②鴱(ài)：雌鷦鸟叫鴱鸟。

17.27　鶠①，凤。其雌皇。

【注释】

①鶠(yǎn)：即凤鸟。雌鸟叫皇。

17.28　鶺鸰，雝渠①。

【注释】

①鶺(jí)鸰(líng)、雝渠：即鹡鸰，体小，嘴尖，尾长，常在水边觅食。

17.29　鷽斯，鵯鶋①。

【注释】

①鷽(yù)斯，鵯(bēi)鶋(jū)：乌鸦的一个种类。

17.30　燕①，白脰②乌。

【注释】

①燕：指燕乌，白色脖颈，喜群飞。②脰(dòu)：颈项。

17.31　鴽，鴾母①。

【注释】

①鴽(rú)、鴾(móu)母：鹌鹑类的小鸟。

17.32　密肌，系英[①]。

【注释】

①密肌、系英：即英鸡。

17.33　巂周，燕。燕，鳦[①]。

【注释】

①巂（guī）周、鳦（yǐ）：燕的别称。

17.34　鸱鸮，鸋鴂[①]。

【注释】

①鸱（chī）鸮（xiāo）、鸋（níng）鴂（jué）：可能是猫头鹰。

17.35　狂，茅鸱，怪鸱。枭，鸱[①]。

【注释】

①狂、茅鸱、怪鸱、枭、鸱：都是猫头鹰的别称。

17.36　鹊，刘疾[①]。

【注释】

①鹊（jiē）、刘疾：雄的鹩（liáo）鹑。

17.37　生哺，彀[①]。生噣[②]，雏。

【注释】

①彀（kòu）：由母鸟喂养的幼鸟。②噣（zhuó）：同"啄"。

17.38　爰居，杂县[①]。

【注释】

①爰居、杂县：一种大海鸟。

17.39　春扈[①]，鳻鶞。夏扈[②]，窃玄。秋扈[③]，窃蓝。冬扈[④]，窃黄。桑扈[⑤]，窃脂。棘扈[⑥]，窃丹。行扈[⑦]，唶唶。宵扈[⑧]，啧啧。

【注释】

①春扈（hù）：也叫鳻（fén）鶞（chūn）。扈，与农业有关的候鸟总称。②夏扈：也叫窃玄鸟。窃，浅；玄，黑红色。③秋扈：也叫窃蓝鸟。窃蓝，浅蓝色。④冬扈：也叫窃黄鸟。窃黄，浅黄色。⑤桑扈：也叫窃脂鸟。窃脂，浅白色。⑥棘扈：也叫窃丹鸟。窃丹，浅红色。⑦行扈：也叫唶（jí）唶鸟。唶唶，鸟的鸣叫声。⑧宵扈：也叫啧啧鸟。啧啧，鸟的鸣叫声。

17.40　䳼鴀，戴鵀①。

【注释】

①䳼(bī)鴀(fú)、戴鵀(rén)：即戴胜鸟，状似雀，头有冠，五色如妇女的首饰花胜。

17.41　鶭，泽虞①。

【注释】

①鶭(fǎng)、泽虞：即护田鸟。

17.42　鷀，鷧①。

【注释】

①鷀(cí)、鷧(yì)：俗称鱼鹰，羽毛黑色，有绿色光泽，嘴长，上嘴尖有钩，善潜水捕鱼。

17.43　鷯①，鶉，其雄鶛②，牝痺③。

【注释】

①鷯(liáo)：即鹌鹑。②鶛(jiē)：雄鹌鹑。③牝(pìn)痺(pí)：雌鹌鹑叫痺。

17.44　鶌，沉鳧①。

【注释】

①鶌(mí)、沉鳧：即水鸭。

17.45　鴢，头鵁①。

【注释】

①鴢(yǎo)、头鵁(xiāo)：即鱼鵁，一种水鸟。

17.46　鵽鸠，寇雉①。

【注释】

①鵽(duò)鸠、寇雉：即突厥雀，又名沙鸡，大小如鸽子，外形像母鸡，生活在草原沙漠地带，喜群飞。

17.47　萑，老鵵①。

【注释】

①萑(huán)、老鵵(tù)：猫头鹰的一种。

17.48　鵽鵃鸟①。

【注释】

①鵌(tú)鵝(hú)鸟：即白头翁。

17.49　狂，䴙鸟[1]。

【注释】

①狂、䴙(mèng)鸟：一种五色有冠的鸟，可能是猫头鹰的一种。

17.50　皇，黄鸟[1]。

【注释】

①皇、黄鸟：即黄雀。

17.51　翠，鹬[1]。

【注释】

①翠、鹬(yù)：即翠鸟。

17.52　鸀，山乌[1]。

【注释】

①鸀(shǔ)、山乌：即红嘴山鸦，通体黑亮，嘴鲜红，脚淡红，常结群高飞，筑巢于石窟、土穴之中。

17.53　蝙蝠，服翼[1]。

【注释】

①蝙蝠、服翼：也叫仙鼠，哺乳动物，头部和躯干似鼠，四肢和尾部之间有膜相连，常在夜间飞行，捕食蚊、蛾等昆虫。

17.54　晨风，鹯[1]。

【注释】

①晨风、鹯(zhān)：一种似鹞的猛禽，羽毛青黄色，飞行迅速，善于捕食小鸟。

17.55　鹰，白鷢[1]。

【注释】

①鹰(yáng)、白鷢(jué)：也叫白鹞子，似雀鹰，尾巴白色。

17.56　寇雉，泆泆[1]。

【注释】

①寇雉、泆泆(yì)：即突厥雀，又名沙鸡。

17.57　鷏，蚊母[1]。

【注释】

①鷏（tián）、蚊母：一种似乌鸔（bǔ）的水鸟。

17.58　鷉，须蠃[1]。

【注释】

①鷉（tī）、须蠃（luó）：俗称油鸭，似鸭而小，善潜水。

17.59　鼯鼠，夷由[1]。

【注释】

①鼯（wú）鼠、夷由：俗称大飞鼠，哺乳动物，形似蝙蝠，前后肢之间有宽大的薄膜，能在树间滑翔，吃植物的皮、果实和昆虫等。

17.60　仓庚，商庚[1]。

【注释】

①仓庚、商庚：即黄鹂，身体黄色，自眼部至头后部黑色，嘴淡红色，鸣声悦耳。

17.61　鴩，铺敊[1]。

【注释】

①鴩（dié）、铺（pù）敊（chǐ）：鸟名，可能是古代一种鸣叫声似"铺敊"的鸟。

17.62　鹰，鶆鸠[1]。

【注释】

①鹰、鶆（lái）鸠：指灰脸鵟（kuáng）鹰。

17.63　鹣鹣，比翼[1]。

【注释】

①鹣（jiān）鹣、比翼：即比翼鸟。

17.64　鵹黄，楚雀[1]。

【注释】

①鵹（lí）黄、楚雀：即黄鹂。

17.65　鴷，斫木[1]。

【注释】

①鴷（liè）、斫（zhuó）木：即啄木鸟。

17.66　鹫，鹏鹠①。

【注释】

①鹫（jī）、鹏（táng）鹠（tú）：一种似乌而羽毛苍白的鸟。

17.67　鸬，诸雉①。

【注释】

①鸬（lú）、诸雉：野雉的一种，或为黑色。

17.68　鹭，舂钼①。

【注释】

①鹭、舂（chōng）钼（chú）：即白鹭。

17.69　鹞雉①。鹓雉②。鳪雉③。鷩雉④。秩秩，海雉⑤。鸐，山雉⑥。鶾雉⑦，鵫雉⑧。雉绝有力，奋⑨。伊洛而南，素质五采皆备成章曰翚⑩。江淮而南，青质⑪五采皆备成章曰鹞。南方曰㲋，东方曰鶅，北方曰鵗，西方曰鷷⑫。

【注释】

①鹞（yáo）雉：青羽、有五彩花纹的野鸡。②鹓（jiāo）雉：也叫鹓鸡，羽毛红艳，身体长度不到一尺，尾巴长六尺，一边跑一边鸣叫。③鳪（bú）雉：黄色羽毛、鸣叫声类似"卜"声的野鸡。④鷩（bì）雉：也叫金鸡，即锦鸡。⑤秩秩、海雉：黑羽毛长尾巴，生活在海岛上的一种野鸡。⑥鸐（dí）、山雉：也叫山鸡，雄鸡尾巴长三尺多，灰色。⑦鶾（hàn）雉：赤红色羽毛的野鸡。⑧鵫（zhuó）雉：即白鵫，白色羽毛的野鸡。⑨雉绝有力，奋：野鸡中极为强健有力的善于搏斗的，叫奋。⑩伊洛而南，素质五采皆备成章曰翚（huī）：伊洛以南，有白色羽毛并且带五彩花纹的野鸡，称为翚。⑪江淮而南，青质五采皆备成章曰鹞：江淮以南，有青色羽毛并带五彩花纹的野鸡，称为鹞。⑫南方曰㲋（chóu），东方曰鶅（cī），北方曰鵗（xī），西方曰鷷（zūn）：南方的野鸡叫㲋，东方的野鸡叫鶅，北方的野鸡叫鵗，西方的野鸡叫鷷。

17.70　鸟鼠同穴，其鸟为鵌①，其鼠为鼵②。

【注释】

①鵌（tú）：有一种鸟与鼠同处一个洞穴的情况，这当中的鸟叫鵌。②鼵（tū）：这当中的鼠叫鼵。

17.71 鹳鸫，鶝鶔[①]。如鹊短尾，射之衔矢射人。

【注释】

①鹳（huān）鸫（tuán）、鶝（fú）鶔（róu）：外形如鹊，尾巴短，如果有人用箭射它，它会用嘴衔箭，反过来射人。

17.72 鹊鸥丑，其飞也翪[①]。鸢乌丑[②]，其飞也翔。鹰隼丑，其飞也翚[③]。凫雁丑，其足蹼，其踵企[④]。乌鹊丑，其掌缩[⑤]。

【注释】

①鹊鸥（jú）丑，其飞也翪（zōng）：鹊鸥类的鸟，振翅上下飞动。鸥，伯劳。②鸢乌丑，其飞也翔：鸢乌一类的鸟，盘旋在高空飞翔。③鹰隼丑，其飞也翚（huī）：鹰隼一类的鸟，飞行急速勇猛。④凫雁丑，其足蹼，其踵企：凫雁一类的鸟，足上有蹼，飞行时伸直脚跟。⑤乌鹊丑，其掌缩：乌鹊一类的鸟，飞行时脚缩在腹下。

17.73 亢[①]，鸟咙。其粻[②]，嗉[③]。

【注释】

①亢（gāng）：鸟的喉咙。②粻（zhāng）：米粮、食物。③嗉（sù）：鸟类食管末端盛食物的囊。

17.74 鹑子，鳼[①]。鴽子[②]，鸋[③]。雉之暮子为鹨[④]。

【注释】

①鳼（wén）：鹌鹑的幼雏。②鴽（rú）子：鹌鹑类的小鸟。③鸋（níng）：鴽的幼雏。④鹨（liù）：野鸡晚生的幼雏。

17.75 鸟之雌雄不可别者，以翼右掩左，雄[①]。左掩右，雌[②]。

【注释】

①以翼右掩左，雄：用右翅遮掩左翅的是雄鸟。②左掩右，雌：用左翅遮掩右翅的是雌鸟。

17.76 鸟少美长丑为鹠鷅[①]。

【注释】

①鹠（liú）鷅（lì）：也作“留离”，一种幼小时美丽，长大后丑恶的鸟。

17.77 二足而羽谓之禽[①]，四足而毛谓之兽[②]。

【注释】

①禽：有两足而且有羽毛的叫禽。②兽：有四足而且有绒毛的叫兽。

17.78　鵙，伯劳也①。

【注释】

①鵙（jú）：也叫伯劳，背羽毛灰褐色，胸部羽毛乳白色，长尾，钩嘴，性情凶猛。

17.79　仓庚，鵹黄①也。

【注释】

①仓庚、鵹（lí）黄：即黄鹂。

释兽第十八

18.1　麋①：牡麔②，牝麎③。其子麇④，其迹躔⑤，绝有力狄⑥。

【注释】

①麋（mí）：即麋鹿，角像鹿，尾像驴，蹄像牛，颈像骆驼，俗称四不像。性温顺，吃植物。②麔（jiù）：雄性麋鹿，有角。③麎（chén）：雌性麋鹿。④麇（yǎo）：幼小的麋鹿。⑤躔（chán）：麋鹿践踏过的蹄迹。⑥狄：极为健壮有力的麋鹿。

18.2　鹿①：牡麚②，牝麀③。其子麛④，其迹速⑤，绝有力麉⑥。

【注释】

①鹿：毛多是褐色，四肢细长，尾巴短，通常雄性头上有角，个别种类雌性也有角，也有雌雄均无角，种类很多。②麚（jiā）：公鹿。③麀（yōu）：母鹿。④麛（mí）：幼鹿。⑤速：鹿践踏过的蹄迹。⑥麉（jiān）：极为健壮有力的鹿。

18.3　麕①：牡麌②，牝麜③。其子麆④，其迹解⑤，绝有力豣⑥。

【注释】

①麕（jūn）：獐子，状似鹿而小，无角。毛粗长，背部黄褐色，腹部白色，行

动灵敏，善跳，能游泳。②麌（yǔ）：公獐子。③麜（lì）：母獐子。④麆（zhù）：幼獐子。⑤解：獐子践踏过的蹄迹。⑥豜（jiān）：极为强壮有力的獐子。

18.4　狼[①]：牡貛[②]，牝狼。其子獥[③]，绝有力迅[④]。

【注释】

①狼：耳竖立，毛黄色或灰褐色，尾下垂，栖息在山林中，性凶残，往往结群伤害禽畜。②貛（huān）：公狼。③獥（jiào）：幼狼。④迅：极为强壮有力的狼。

18.5　兔子，嬎[①]。其迹迒[②]，绝有力欣[③]。

【注释】

①嬎（fù）：幼兔。②迒（háng）：兔子践踏过的爪印。③欣：极为强壮有力的兔子。

18.6　豕子[①]，猪。䝐，豶[②]。幺，幼[③]。奏者，豱[④]。豕生三，豵[⑤]；二，师[⑥]；一，特[⑦]。所寝，橧[⑧]。四蹢[⑨]皆白，豥[⑩]。其迹刻[⑪]，绝有力豟[⑫]。牝，豝[⑬]。

【注释】

①子：衍文。②䝐（wěi）、豶（fén）：阉割了的猪。③幺、幼：最后出生的小猪。④豱（wēn）：皮肤皱缩，头短貌丑的猪。⑤豵（zōng）：猪一胎生三只，猪仔叫豵。⑥师：猪一胎生两只，猪仔叫师。⑦特：猪一胎生一只，猪仔叫特。⑧橧（zēng）：猪圈。⑨蹢（dí）：猪脚。⑩豥（gāi）：四蹄都是白色的猪。⑪刻：猪践踏过的蹄迹。⑫豟（è）：极为健壮有力的身高五尺的猪。⑬豝（bā）：母猪。

18.7　虎窃[①]毛谓之虦猫[②]。

【注释】

①窃：浅。②虦（zhàn）猫：毛色浅的虎。

18.8　貘[①]，白豹。

【注释】

①貘（mò）：即白豹。

18.9　甝[①]，白虎。虪[②]，黑虎。

【注释】

①甝（hán）：即白虎。②虪（shù）：即黑虎。

18.10　貀①，前无足。

【注释】

①貀（nà）：一种没有两只前腿的野兽。

18.11　鼳①，鼠身长须而贼，秦人谓之小驴。

【注释】

①鼳（jú）：兽名，身体如鼠，长有长须，暗地里损坏植物，白天住在土穴中，夜晚出来捕食昆虫，秦地的人称为小驴。

18.12　熊虎丑，其子狗①。绝有力麙②。

【注释】

①狗：熊虎一类的动物，它们的幼仔叫作狗。②麙（yán）：极为强壮有力的熊虎。

18.13　狸①子，隸②。

【注释】

①狸：即野猫。②隸（sì）：狸猫的幼仔。

18.14　貈①子，貆②。

【注释】

①貈（hé）：即狗獾，外形似狐狸而较小。②貆（huán）：狗獾的幼仔。

18.15　貒①子，貗②。

【注释】

①貒（tuān）：即猪獾，外形似猪而较小。②貗（jù）：猪獾的幼仔。

18.16　貔①，白狐。其子豰②。

【注释】

①貔（pí）：豹类猛兽，似虎，毛灰白色。②豰（hù）：貔的幼仔。

18.17　麝父①，麕足②。

【注释】

①麝（shè）父：即香樟，似鹿而较小，无角，雄性能产出麝香。②麕（jūn）：獐子。

18.18　豺①，狗足。

【注释】

①豺：即豺狗，形似狼而凶狠，常集群攻击牛、羊等家畜。

18.19 貙獌①，似狸。

【注释】

①貙（chū）獌（màn）：指大的貙虎，狼类猛兽。

18.20 羆①，如熊，黄白文。

【注释】

①羆（pí）：俗称人熊或马熊，可直立行走，能爬树、游泳，有黄白相间的皮毛。

18.21 麢①，大羊。

【注释】

①麢（líng）：即羚羊。

18.22 麠①，大麃，牛尾，一角。

【注释】

①麠（jīng）：即水鹿，又名马鹿，体高状，栗棕色，耳大而直立，四肢细长。尾巴像牛的尾巴，有一个角。

18.23 麐①，大麕，旄②毛，狗足。

【注释】

①麐（jǐ）：即麂，小型的鹿，雄的有长牙和短角。②旄（mào）毛：长毛。

18.24 魋①，如小熊，窃毛而黄。

【注释】

①魋（tuí）：一种似小熊的野兽。

18.25 猰貐①，类貙，虎爪，食人，迅走。

【注释】

①猰（yà）貐（yǔ）：古代传说中的吃人凶兽。

18.26 狻麑①，如虦②猫，食虎豹。

【注释】

①狻（suān）麑（ní）：即狮子。②虦（zhàn）猫：浅毛虎。

18.27 驨①，如马，一角，不角者骐②。

【注释】

①驨（xí）：像马，有一角，角如鹿茸。②骐：没有角的被称为骐。

18.28 羱①，如羊。

【注释】

①羱（yuán）：羱羊，野羊的一种。

18.29　麐[1]，麕身，牛尾，一角。

【注释】

①麐（lín）：同“麟”，即麒麟。古代传说中的一种动物，形状像鹿，头上有角，全身有鳞甲，尾巴像牛尾。在古代是吉祥的象征。

18.30　犹[1]，如麂，善登木。

【注释】

①犹：也称犹猢，猴类兽名，似猴而足短，善于攀登岩树。

18.31　貄[1]，修毫。

【注释】

①貄（sì）：长毛兽，外形像狗。

18.32　貙[1]，似狸。

【注释】

①貙（chū）：貙虎，狼类猛兽。

18.33　兕[1]，似牛。

【注释】

①兕（sì）：犀牛一类的兽名，形状像野牛，毛青色，一只角，皮厚，可以制甲。

18.34　犀[1]，似豕。

【注释】

①犀（xī）：即犀牛，形状像牛，体型较大，鼻子上有一角或两角，还有三角的。皮厚毛少。

18.35　汇[1]，毛刺。

【注释】

①汇：即刺猬，头小，四肢短，身上有硬刺，昼伏夜出，吃昆虫、鼠、蛇等。

18.36　狒狒[1]，如人，被发，迅走，食人。

【注释】

①狒狒（fèi）：古代传说中的猿类动物，头部像狗，四肢短，尾巴长，毛灰褐色，像人披散头发，奔跑迅速，吃人。

18.37　狸、狐、貒、貈丑，其足蹯①，其迹内②。

【注释】

①蹯（fán）：兽足掌。②内（róu）：兽足迹。

18.38　蒙颂①，猱②状。

【注释】

①蒙颂：猴类动物，形状像长尾猴而小，紫黑色，善捕鼠。②猱（náo）：猕猴，猿类动物，身体敏捷，善攀援。

18.39　猱、蝯①，善援。貜父②，善顾。

【注释】

①蝯（yuán）：即猿，猴类动物，似猴而大，没有尾巴，种类很多，善于攀援。②貜（jué）父：一种猴，似猕猴而大，色苍黑，喜欢顾盼。

18.40　威夷①，长脊而泥②。

【注释】

①威夷：兽名，一种长脊背而少力量的动物。②泥：弱、力小。

18.41　麔①麎②，短脰③。

【注释】

①麔（jiù）：雄性麋鹿。②麎（chén）：雌性麋鹿。③脰（dòu）：颈项。

18.42　豰①，有力。

【注释】

①豰（xuàn）：兽名，一种很有力量非常凶猛的像狗的动物。

18.43　豦①，迅头。

【注释】

①豦（jù）：一种像猴的动物，头部常常快速扭动。

18.44　蜼①，卬②鼻而长尾。

【注释】

①蜼（wèi）：一种长尾猴。②卬（yǎng）：同“仰”。

18.45　时①，善乘领②。

【注释】

①时：一种喜好攀登山岭的动物。②乘领：攀登山岭。领，同“岭”。

18.46　猩猩①，小而好啼。

【注释】

①猩猩：猿猴类动物，叫声像小儿啼哭。

18.47　阙洩[①]，多狃[②]。——寓属。

【注释】

①阙洩：一种多脚趾的动物。②狃（niǔ）：脚趾。

18.48　鼢鼠[①]。

【注释】

①鼢（fén）鼠：俗称地老鼠，体矮胖，前肢爪很长，居住地中。

18.49　鼸鼠[①]。

【注释】

①鼸（xiàn）鼠：又称香鼠，田鼠的一种，灰色短尾。

18.50　鼷鼠[①]。

【注释】

①鼷（xī）鼠：鼠类中最小的一种。旧说有毒，啮人畜皆不觉痛，但皮肤会生疮。又称甘口鼠。

18.51　鷈鼠[①]。

【注释】

①鷈（sī）鼠：大田鼠。

18.52　鼬鼠[①]。

【注释】

①鼬（yòu）鼠：俗称黄鼠狼，又名黄鼬，尾长，四肢短，栖息于林中水边、田间以及多石头的平原等处。能放臭气御敌。

18.52　鼩鼠[①]。

【注释】

①鼩（qú）鼠：又称地鼠，哺乳动物，体小、尾短，形似小鼠，穴居田中。

18.53　鼭鼠[①]。

【注释】

①鼭（shí）鼠：鼠名，意义未详。

18.54　鼣鼠[①]。

【注释】

①鼣（fèi）鼠：一种叫声如狗的鼠。

18.55　鼫鼠[1]。

【注释】

①鼫（shí）鼠：大老鼠，头似兔，尾有毛，青黄色，喜欢在田里吃豆子之类的作物。

18.56　鼤鼠[1]。

【注释】

①鼤（wén）鼠：即斑尾鼠。

18.57　鼨鼠[1]，豹文。

【注释】

①鼨（zhōng）鼠：即豹文鼠，一种身体上有豹纹的鼠。

18.58　鼮鼠[1]。

【注释】

①鼮（tíng）鼠：一种身体上有荧荧光辉斑点的鼠。

18.59　鼰鼠[1]。——鼠属。

【注释】

①鼰（xí）鼠：即松鼠。

18.60　牛曰齝[1]，羊曰齥[2]，麋鹿曰齸[3]。

【注释】

①齝（chī）：牛反刍。②齥（xiè）：羊反刍。③齸（yì）：麋鹿反刍。

18.61　鸟曰嗉[1]，寓鼠曰嗛[2]。——齸属。

【注释】

①嗉（sù）：鸟类喉下贮藏食物的地方。②嗛（qiǎn）：猴鼠类颊中贮藏食物的地方。

18.62　兽曰衅[1]，人曰挢[2]，鱼曰须[3]，鸟曰狊[4]。——须属。

【注释】

①衅（xìn）：兽类引气喘息以休息。②挢（jiǎo）：人类伸展身体以休息。③须：鱼类张口鼓腮以休息。④狊（jú）：鸟类摇拍两翅以休息。

释畜第十九

19.1 騊駼[①]，马。

【注释】

①騊（táo）駼（tú）：良马名，生活在北方的青色的一种马。

19.2 野马[①]。

【注释】

①野马：北方的一种良马，体型较小，行走速度快且有耐力。

19.3 駮[①]，如马，倨牙，食虎豹。

【注释】

①駮（bó）：传说中的猛兽名，形体像马，牙齿倨曲。

19.4 騉蹄[①]，趼[②]，善升甗[③]。

【注释】

①騉（kūn）蹄：良马名。②趼（yán）：蹄底平正。③甗（yǎn）：山岭。

19.5 騉駼[①]，枝蹄[②]趼，善升甗。

【注释】

①騉駼（tú）：良马名，马身而牛蹄，善于登高爬山。②枝蹄：歧蹄。

19.6 小领[①]，盗骊[②]。

【注释】

①领：颈。②盗骊：良马名，细脖子的良马。

19.7 绝有力駥[①]。

【注释】

①駥（róng）：强壮有力的马。

19.8 膝上皆白，惟馵[①]。四骹[②]皆白，驓[③]。四蹢皆白，騚[④]。前足皆白，騱[⑤]。后足皆白，翑[⑥]。前右足白，启[⑦]；左白，踦[⑧]。后右足白，骧[⑨]；左白，馵。

【注释】

①馵（zhù）：膝以上全白的马。②骹（qiāo）：小腿。③驓（céng）：四条小腿全白的马。④騚（qián）：四条蹄子全白的马。⑤騱（xí）：前脚全白的马。

⑥狗（qú）：后脚全白的马。⑦启：前右脚白的马。⑧踦（qī）：前左脚白的马。⑨骧（xiāng）：后右脚白的马。

19.9 骝马[1]白腹，騵[2]。骊马[3]白跨[4]，驈[5]。白州[6]，驠[7]。尾本[8]白，騴[9]。尾白，駺[10]。馰颡[11]，白颠。白达[12]，素[13]县。面颡皆白，惟駹[14]。

【注释】

①骝（liú）马：红身黑鬃尾的马。②騵（yuán）：腹下白色的骝马叫騵。③骊（lí）马：黑色的马。④跨：髀间。⑤驈（yù）：黑马髀间是白色的马。⑥州：即"窍"，就是尻。⑦驠（yàn）：臀部是白色的马。⑧本：根部。底部。⑨騴（yàn）：马尾根部是白色的马。⑩駺（láng）：尾巴是白色的马。⑪馰（dí）颡（sǎng）：馰，即"的"，白色；颡，额。额有白毛的，就是白颠马。⑫白达：白色从额头直达鼻端，这样的马叫素县（xuán）。⑬素：鼻茎。⑭駹（máng）：面额都是白色的马。

19.10 回毛[1]在膺[2]，宜乘[3]。在肘后，减阳[4]。在干，茀方[5]。在背，阕广[6]。

【注释】

①回毛：旋毛。②膺：胸。③宜乘：旋毛在胸腹部的马叫宜乘。④减阳：旋毛在股后的马叫减阳。⑤茀（fú）方：旋毛在肋部的马。干，肋，即胸部的两侧。⑥阕广：旋毛在后背的马。

19.11 逆毛[1]，居馻[2]。

【注释】

①逆毛：毛逆着长。②馻（yǔn）：毛逆着长的马。

19.12 騋[1]：牝，骊[2]；牡，玄[3]；驹，褭骖[4]。

【注释】

①騋（lái）：身高七尺以上的马。②骊：毛黑色。③玄：毛黑色中带有红色。④褭（niǎo）骖（cān）：小马。

19.13 牡曰騭[1]，牝曰騇[2]。

【注释】

①騭（zhì）：公马叫騭。②騇（shè）：母马叫騇。

19.14 驳[1]白，驳[2]；黄白，騜[3]。骝马黄脊，騝[4]；骊马黄脊，騽[5]。青骊，駽[6]；青骊驎，驒[7]；青骊繁鬣，騥[8]。骊白杂毛，鸨[9]；黄白杂毛，駓[10]；阴白杂毛，骃[11]；苍白杂毛，骓[12]；彤白杂毛，騢[13]。白马黄鬣，骆[14]；白马黑唇，駩[15]；黑喙，騧[16]。一目白，瞯[17]；二目白，鱼[18]。

【注释】

①骝（liú）：红。②驳：有红有白的马叫驳。③騜（huáng）：马的毛有黄有白的叫騜。④騝（qián）：赤红色的马，脊背有黄毛，叫騝。⑤騽（xí）：青黑色的马，脊背上有黄毛，叫騽。⑥駽（xuān）：兼有青毛、黑毛的马。⑦驒（tuó）：毛青色又有鳞状斑纹的马。⑧騥（róu）：毛色青黑而鬃毛繁多向两侧分开的马。⑨鸨（bǎo）：毛色黑白相杂的马。⑩駓（pī）：毛色黄白相杂的马。⑪骃（yīn）：毛浅黑色兼有白色毛的马。阴，浅黑色。⑫骓（zhuī）：毛浅青色兼有白色毛的马。苍，浅青色。⑬騢（xiá）：毛赤红色兼杂白色毛的马。彤，赤红色。⑭骆：有黑色鬃毛的白马。⑮駩（quān）：有黑唇的白马。⑯騧（guā）：嘴是黑色的马。喙，口。⑰瞯（xián）：一只眼睛的毛色是白色的马。⑱鱼：两只眼睛的毛色是白色的马。

19.15　“既差我马”[1]，“差，择也”。宗庙齐毫[2]，戎事齐力[3]，田猎齐足[4]。——马属。

【注释】

①既差我马：《诗经·小雅·吉日》的句子。差，意思为选择。②齐毫：马的毛色要统一。宗庙祭祀要用毛色一致的马，以示敬重。③戎事齐力：战争选择战马，要用强壮的马。④田猎齐足：打猎要选择跑得快的马。

19.16　犘牛[1]。

【注释】

①犘（má）牛：大牛。

19.17　犦牛[1]。

【注释】

①犦（bó）牛：一种颈肉隆起的野牛。

19.18　犤牛[1]。

【注释】

①犤（pái）牛：一种矮小的牛。

19.19　犩牛[1]。

【注释】

①犩（wéi）牛：一种高大的野牛。

19.20　犣牛[1]。

【注释】

①犣（liè）牛：即牦牛。

19.21　犝牛[1]。

【注释】

①犝（tóng）牛：无角小牛。

19.22　犋牛[1]。

【注释】

①犋（jú）牛：牛名。意义未详。

19.23　角一俯一仰，觭[1]。皆踊，觢[2]。

【注释】

①觭（jī）：牛的两角，一只低一只高，这样的牛叫觭。②觢（shì）：牛的两角都竖直朝上，这样的牛叫觢。

19.24　黑唇，犉[1]。黑眥[2]，牰。黑耳，犚[3]。黑腹，牧[4]。黑脚，犈[5]。

【注释】

①犉（rún）：黄毛黑唇的牛叫犉。②黑眥（zì）、牰（yòu）：黑眼眶的牛叫牰。眥，眼眶。③犚（wèi）：黑耳朵的牛。④牧：黑肚皮的牛。⑤犈（quán）：黑脚的牛。

19.25　其子，犊[1]。

【注释】

①犊：小牛。

19.26　体长，犤[1]。

【注释】

①犤（bèi）：身体长的牛。

19.27　绝有力欣犌[1]。——牛属。

【注释】

①欣犌（jiā）：强壮又力气极大的牛叫犌。欣，衍文。

19.28　羊：牡，羒[1]；牝，牂[2]。

【注释】

①羒（fén）：白色的公羊叫羒。②牂（zāng）：白色的母羊叫牂。

19.29　夏羊[1]：牡，羭[2]；牝，羖[3]。

【注释】

①夏羊：黑羊。②羭（yú）：黑色的公羊。③羖（gǔ）：黑色的母羊。

19.30　角不齐，觤[1]。角三觠[2]，羷[3]。

【注释】

①觤（guǐ）：羊角一长一短叫觤。②觠（quán）：盘卷。③羷（liǎn）：羊角卷曲三匝叫羷。

19.31　羳羊[1]，黄腹。

【注释】

①羳（fán）羊：即黄羊。

19.32　未成羊，羜[1]。

【注释】

①羜（zhù）：幼羊叫羜。

19.33　绝有力奋[1]。——羊属。

【注释】

①奋：强壮有力的羊。

19.34　犬生三，猣[1]；二，师[2]；一，玂[3]。

【注释】

①猣（zōng）：狗一胎生三只，狗仔叫猣。②师：狗一胎生二只，狗仔叫师。③玂（qí）：狗一胎生一只，狗仔叫玂。

19.35　未成毫，狗[1]。

【注释】

①狗：没有长出毛的小狗叫狗。

19.36　长喙[1]，猃[2]。短喙，猲獢[3]。

【注释】

①喙（huì）：嘴。②猃（xiǎn）：长嘴的猎狗叫猃。③猲（xiē）獢（xiāo）：短嘴的猎狗叫猲獢。

19.37　绝有力狣[①]。

【注释】

①狣（zhào）：强壮有力的狗。

19.38　尨[①]，狗也。——狗属。

【注释】

①尨（máng）：多毛的狗。

19.39　鸡，大者蜀[①]。蜀子，雓[②]。

【注释】

①蜀：大鸡。②雓（yú）：大鸡的鸡仔叫雓。

19.40　未成鸡，僆[①]。绝有力奋[②]。——鸡属。

【注释】

①僆（liàn）：雏鸡。②奋：极为强壮有力的鸡。

19.41　马八尺为駥[①]。

【注释】

①駥（róng）：八尺高的马叫駥。

19.42　牛七尺为犉[①]。

【注释】

①犉（rún）：七尺高的牛叫犉。

19.43　羊六尺为羬[①]。

【注释】

①羬（qián）：六尺高的羊叫羬。

19.44　彘[①]五尺为豟[②]。

【注释】

①彘（zhì）：猪，②豟（è）：五尺高的猪叫豟。

19.45　狗四尺为獒[①]。

【注释】

①獒（áo）：四尺高的狗叫獒。

19.46　鸡三尺为鹍[①]。——六畜。

【注释】

①鹍（kūn）：三尺高的鸡叫鹍。